La magie du papier

Texte de
Paulette Bourgeois

Illustrations de
Linda Hendry

**Traduit de l'anglais par
Claudine**

**Héritage
jeunesse**

Texte copyright© Paulette Bourgeois
Illustrations copyright© 1989 Linda Hendry

Version française
© Les Éditions Héritage Inc. 1990
Tous droits réservés

Dépôts légaux: 4e trimestre 1990
Bibliothèque nationale du Québec
Bibliothèque nationale du Canada

ISBN: 2-7625-6316-X   Imprimé au Canada

LES ÉDITIONS HÉRITAGE INC.
300, Arran, Saint-Lambert, Québec J4R 1K5
(514) 875-0327

Données de catalogage avant publication (Canada)

Bourgeois, Paulette

  La magie du papier

  (Savoir-faire)
  Traduction de: The amazing paper book.

  ISBN 2-7625-6316-X

  1. Papier - Ouvrages pour la jeunesse. 2. Papeterie - Ouvrages pour la jeunesse.
3. Papier, Travail du - Ouvrages pour la jeunesse. I. Titre. II. Collection.

TS1105.5.B68 1990   j676   C90-096634-3

Table des matières

Remerciements

Ce livre n'aurait pas pu être écrit sans les renseignements fournis par l'Association canadienne des producteurs de pâtes et papiers, Abitibi Price Inc, Crown Forest Produits de bois Ltée, le Council of Forest Industries of British Columbia, l'Association forestière canadienne, E.B. Eddy Forest Products Ltd. et l'American Paper Institute. Le Royal Ontario Museum, l'Ontario Science Centre et Pollution Probe ont fourni des renseignements sur la foresterie, les insectes, la fabrication du papier et l'environnement. Je remercie sincèrement le docteur Paul L. Aird de l'École de foresterie de l'Université de Toronto pour avoir lu le manuscrit et fait des suggestions judicieuses. Je terminerai en remerciant mon éditrice préférée, Valerie Wyatt, pour son sens de l'humour, ses paroles d'encouragement et son talent d'éditrice.

Crédits

Activité avec du papier n° 2 : Une carte en trois dimensions, pages 22-23, reproduit de *Fabrique en 3 dimensions cartes et autres objets*; texte de Joan Irvine, illustrations de Barbara Reid. Publié par Les Éditions Héritage Inc. Version française de *How To Make Pop-Ups*. Publié par Kids Can Press Ltd.

«L'histoire du poisson-chat de Mufferaw», pages 46-47, est parue pour la première fois dans l'ouvrage *Tall Tales of Joe Mufferaw*, une création de Bernie Bedore de Arnprior Ontario.

Le PAPIER a vraiment quelque chose de magique. Il peut être assez mince pour qu'on puisse voir à travers et assez épais pour qu'on s'assoie dessus. On peut le plier pour en faire une boîte, le froisser en boule ou en faire des mouchoirs suffisamment doux pour essuyer les fesses d'un bébé. Ondulé ou lisse, de couleur ou d'un blanc immaculé, imperméable ou absorbant, souple ou rigide, inflammable ou ininflammable, de quelque sorte qu'il soit, le papier est, chose surprenante, toujours fabriqué de la même manière.

En lisant *La magie du papier*, tu vas :

- faire la connaissance de héros du papier et découvrir des légendes légendes sur le papier
- apprendre à faire du papier, une plume pour écrire et de l'encre, l'encre, et à rédiger des messages invisibles
- suivre l'histoire du papier depuis sa découverte en Chine ancienne jusqu'à son arrivée en Amérique du Nord
- épater tes ami(e)s grâce à des énigmes de papier
- et surprendre ta famille en faisant cuire le souper dans e une enveloppe!

Si tu tombes sur un mot que tu ne comprends pas, tu pourras en en trouver la définition dans le glossaire à la fin du livre.

Le papier fait tourner le monde

Ton réveil sonne. Tu te blottis un peu plus sous tes couvertures en rêvant de passer la journée au lit. Tu as un examen de maths aujourd'hui.

Tu n'es pas un as en maths; par contre, tu as une imagination débordante. Encore à moitié endormi(e), tu t'imagines avoir à ta disposition une bonne fée prête à exaucer tous tes souhaits. Tu te la représentes, baguette magique en main, ordonnant aux examens de maths de disparaître du bureau du professeur. . . pftt. . . envolés par la fenêtre. Mais l'heure passe; tu n'as pas le temps de rêver. Comme tu sors péniblement de ton lit, tu as l'étrange sensation que quelqu'un t'observe. Et du coin de l'oeil, tu la vois effectivement. . . une bonne fée en tutu rose équipée d'une baguette magique! Tu clignes des yeux. Elle est toujours là. Tu te frottes les yeux. Elle te sourit. Puis elle brandit sa baguette dans les airs en s'exclamant : «Et voilà, disparus tous les papiers!»

Tu n'arrives pas à le croire. Il n'y aura donc pas d'examen de maths. Tu te rends alors compte que ta bonne fée est allée un peu trop loin. Dans la pièce, des objets s'envolent par la fenêtre et par la porte. Ta bonne fée a fait disparaître *tout* ce qui était en papier.

«Hé, bonne fée!» t'écries-tu. Mais ta bonne fée a pris le même chemin que le papier. . . elle s'est envolée par la fenêtre.

Ça ne fait rien, te dis-tu. Qui a besoin de papier de toute manière?

Toi, justement. La salle de bains n'est plus la même sans papier. Plus d'étiquettes sur les tubes et les flacons : tu ne peux plus différencier le dentifrice du gel à cheveux. Plus de mouchoirs en papier et, tu l'as deviné, plus de papier hygiénique. (Avant l'invention du papier hygiénique, les gens se servaient de vieux catalogues et de journaux. Et avant cela, ils utilisaient des chiffons, de la mousse et de l'herbe.) «Bonne fée, t'écries-tu de nouveau. Pourquoi disparais-tu au moment où j'ai le plus besoin de toi?»

Tu vas à la cuisine manger des céréales. Zut, les boîtes de céréales sont faites avec du papier. Tant pis, tu te passes de déjeuner et t'apprêtes à préparer ton dîner. Oh non! pas de papier ciré pour emballer les sandwiches, pas de serviettes ni de sacs en papier. C'est tout un problème que de se faire un lunch dans de telles conditions.

Comme tu sors de chez toi, tu te rends compte que tu n'as pas de devoirs, ni de cahiers, ni de livres. Génial! Si tu y penses à deux fois, cependant, tu vas t'apercevoir qu'il va te falloir tout apprendre en écoutant et en retenant par coeur.

Et te voilà bientôt en train de supplier ta bonne fée de revenir et de faire quelque chose. Un contrôle de maths vaut encore mieux que de vivre dans un monde sans papier.

Pourquoi avons-nous besoin de papier?

Du papier, il y en a partout : pour emballer les pizzas, à la maison, à l'école et même dans les salles d'opération dans les hôpitaux. Mais t'es-tu déjà demandé pourquoi on a inventé le papier? Pour une seule et unique raison : écrire.

On savait écrire bien avant l'invention du papier. Tout d'abord, les gens ont écrit sur des tablettes d'argile. Imagine comme il devait être peu pratique de transporter ces tablettes d'argile d'un endroit à un autre, et difficile de corriger une erreur. Par la suite, les gens ont écrit sur du parchemin et du vélin faits avec des peaux de bête. Quand on voulait écrire une lettre dans ce temps-là, on devait tuer un mouton ou un veau, lui enlever la peau, assouplir celle-ci avec de la chaux puis la marteler avec une pierre pour la rendre lisse. Étant donné toutes ces difficultés, le parchemin et le vélin étaient aussi précieux que l'or et les pierres précieuses. Seule une petite poignée de gens priviligiés — des moines pour la plupart — apprenaient à lire et à écrire.

L'invention du papier a changé le monde. On fabriquait du papier facilement avec des vieux chiffons ou des roseaux. Sa fabrication étant peu coûteuse, on pouvait en faire de grandes quantités et les citoyens ordinaires y avaient alors accès, plus seulement les moines.

Une chose en a entraîné une autre. On a inventé les plumes et l'encre. Puis la presse à imprimer (au grand soulagement des moines qui s'étaient donné tant de peine pendant des siècles à copier des ouvrages à la main). Les livres devinrent bientôt choses courantes.

De plus en plus de citoyens apprirent à lire. Plus les gens avaient besoin de livres, cependant, plus il devint difficile de trouver les chiffons nécessaires à la fabrication du papier. D'ingénieux inventeurs découvrirent un moyen de transformer les arbres en papier. Cette pâte à papier (on emploie parfois le mot pulpe), celle-là même que l'on emploie de nos jours, constitua une vraie révolution. La pâte faite à partir d'arbres broyés pouvait être transformée en boîtes, serviettes, papier hygiénique... et même en pianos. Le papier ne tarda pas à prendre la place du tissu : il était tellement bon marché qu'on pouvait le jeter après un seul usage.

On peut quasiment retracer l'histoire de l'humanité en suivant les inventions qui ont conduit à la découverte du papier... et des produits dérivés du papier.

Avant que le papier n'existe...

Les anciens Égyptiens avaient découvert qu'avec une espèce de roseau, le papyrus (c'est de là que vient le mot papier), qui poussait sur les bords du Nil, on pouvait fabriquer un support d'écriture durable, léger et plan. Les Égyptiens coupaient les tiges de papyrus et les assemblaient côte à côte. Une autre couche de lamelles de papyrus était superposée à la première, transversalement, pour former un genre de natte. On versait ensuite de l'eau sur la natte et les Égyptiens la polissaient pendant des heures avec une pierre pour la rendre lisse. Quoique le papyrus ait été assez populaire, bon nombre de gens — en particulier les Européens — préfé-raient le parchemin. Celui-ci était fabriqué avec des peaux de chevreau ou d'agneau. Le vélin, un matériau encore plus souple, provenait de peaux de veau. On assouplissait les peaux de bête en les enduisant d'un mélange de craie et de chaux et en les laissant sécher au soleil. Une fois séchées, on polissait les peaux avec une pierre afin de les rendre suffisamment lisses pour pouvoir écrire dessus.

Fabrique-toi une plume. . .

Avant l'invention des stylos à bille, les enfants écrivaient avec des plumes d'oie. Tu peux t'en faire une si tu veux. En été, quand les oiseaux perdent leurs plumes, cherches-en une dans ton jardin, dans les bois ou sur la plage. Le conduit creux d'une plume s'appelle le tuyau. Il est préférable de se servir de plumes d'un grand oiseau — une oie, par exemple.

Il te faut:
une plume
un couteau tranchant
de l'encre
du papier buvard ou de l'essuie-tout

1. Déplume le bout le plus épais du tuyau pour que tu puisses le tenir.

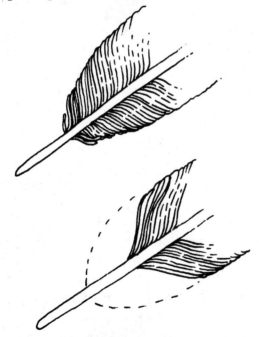

2. Coupe l'extrémité du tuyau en biseau, puis entaille-la comme ceci :

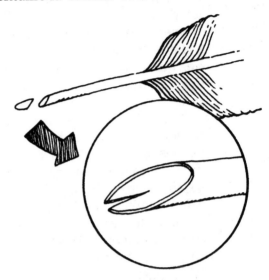

3. Plonge la plume dans l'encre et écris. Garde du buvard ou un essuie-tout à ta portée car tu risques de faire de nombreuses taches avant de prendre l'habitude.

Chère Mme Tache

ENCRE

. . .et de l'encre

Tu peux essayer de faire de l'encre à base de bleuets comme en fabriquaient tes ancêtres les colons. Tu pourrais sans doute écrire rien qu'avec du jus de bleuets, mais en y ajoutant du vinaigre, la couleur garde son éclat, et le sel empêche le jus de moisir.

Il te faut :
une passoire
un bol
une cuiller
un petit pot avec un couvercle hermétique
125 g de bleuets
1/2 c. à thé de vinaigre
1/2 c. à thé de sel

1. Tiens la passoire au-dessus du bol.
2. Verse les bleuets dans la passoire et écrase-les avec la cuiller.
3. Continue de presser les fruits jusqu'à ce que tout le jus se soit écoulé dans le bol. Jette la pulpe de bleuets aux ordures.
4. Ajoute le vinaigre et le sel au jus de bleuets.
5. Verse l'encre dans le pot que tu fermeras bien hermétiquement.

Tu peux faire toutes sortes d'encres à base de coquilles ou d'écales de certains fruits, et même d'écorce d'arbre. (N'écorce jamais un arbre; sers-toi d'écorce tombée.)

Il te faut :
du papier essuie-tout
un marteau
une petite casserole
un petit pot avec un couvercle hermétique
250 g de coques de noix ou de noisettes, d'écales d'arachides, d'écorces de châtaignes, ou même de morceaux d'écorce d'arbre
250 ml d'eau
1/2 c. à thé de sel
1/2 c. à thé de vinaigre

1. Enveloppe les coques ou les écorces dans un morceau d'essuie-tout.
2. À l'aide du marteau, broie-les en petits morceaux.
3. Mets l'eau et les coques ou les écorces broyées dans une casserole. Fais chauffer jusqu'à ébullition. Réduis le feu et laisse mijoter pendant environ une heure.
4. Retire la casserole du feu et laisse l'encre refroidir.
5. Ajoutes-y le vinaigre et le sel.
6. Conserve l'encre dans un pot fermé hermétiquement.

C'est écrit!

La prochaine fois que tu prendras un stylo ou un crayon, tu devrais avoir une petite pensée pour les Sumériens qui ont inventé l'écriture au Moyen-Orient il y a plus de 5000 ans. Ils avaient une règle voulant que chaque famille donne aux prêtres du temple une partie de ce qu'elle possédait. L'écriture n'existant pas encore, il n'y avait aucun moyen de marquer ses biens ni de prendre en note ce qu'avaient donné les uns et les autres.

Les prêtres mirent donc au point un système. On attribuait à chaque famille un symbole, par exemple une fourche ou un oeuf d'oie, que l'on gravait sur un petit cylindre de pierre. Chaque famille imprimait son sceau personnel sur un morceau d'argile, le laissait sécher et l'attachait ensuite à l'aide de lanières de cuir au cou de leurs animaux ou à leurs objets personnels. Ainsi, on pouvait savoir à qui appartenait chaque chose. Cependant, les chiffres n'ayant pas encore été inventés, il était impossible de tenir le compte de ce que possédait chaque famille. Les prêtres eurent une autre idée lumineuse : ils dessinèrent les différents objets appartenant à chaque famille — blé, vaches, moutons, etc. — et gravèrent un trait sous chaque objet offert au temple.

Les prêtres remarquèrent que les symboles pouvaient également représenter des idées. Par exemple, une gerbe de blé pouvait illustrer du blé, mais aussi la notion de grande quantité. Ces représentations en images s'appellent des idéogrammes.

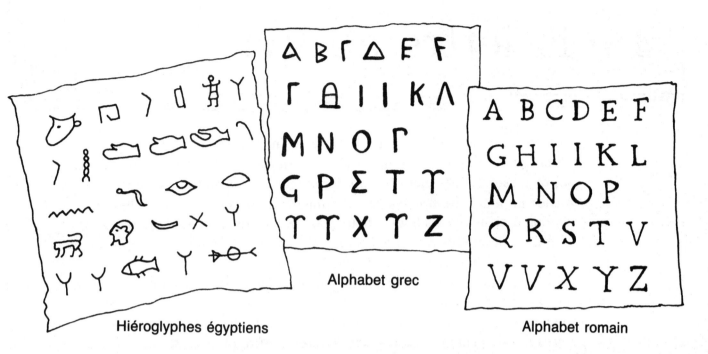

Hiéroglyphes égyptiens

Alphabet grec

Alphabet romain

Les prêtres ont ensuite fait une découverte étonnante. Ils ont remarqué que s'ils attribuaient un symbole à chaque son, ils pouvaient constituer de nombreux mots nouveaux à partir de quelques symboles de base. Cette découverte est à l'origine du système d'écriture dont nous nous servons aujourd'hui : c'est l'alphabet phonétique. Les Sumériens utilisaient 500 symboles — triangles, griffonnages et traits — pour illustrer les syllabes et les voyelles. Ils gravaient ces signes dans de l'argile molle à l'aide de bâtonnets faits de roseau.

Au fur et à mesure que l'écriture s'est répandue au Moyen-Orient, elle a pris différentes formes. Les Égyptiens ont créé un alphabet fait de dessins d'animaux et d'êtres humains; ces signes s'appellent des hiéroglyphes. Ils remplissaient des roseaux évidés d'une encre faite d'un mélange de suie, d'eau et de charbon — c'étaient là les premiers stylos à encre — et dessinaient sur des feuilles faites de tiges de papyrus entrelacées.

Vers 1500 avant Jésus-Christ, les Chinois créèrent à leur tour un langage écrit composé d'un mélange d'idéogrammes et de symboles phonétiques. Il y avait des milliers de symboles. Les Chinois fabriquaient également de l'encre. Au lieu de dessiner sur du papier, cependant, ils dessinaient sur de la soie avec des pinceaux extrêmement fins faits de poils de chameau.

Le langage écrit a subi de nombreuses transformations à travers le monde. Notre alphabet de 26 symboles (lettres) a été adapté de l'alphabet du Moyen-Orient par les Grecs et les Romains vers l'an 1000 avant Jésus-Christ.

De la lettre au livre

Autrefois, la majorité des gens n'apprenait ni à lire ni à écrire. La lecture n'était pas facile. Le papyrus, le parchemin et le vélin étaient des matières si précieuses que les mots étaient écrits les uns à la suite des autres sans espace ni ponctuation ni même de numéros de pages. Les pages de parchemin étaient collées bout à bout pour former des rouleaux de plusieurs centaines de mètres de long. Imagine si l'on devait chercher une phrase en plein milieu d'un rouleau aussi épais!

Des milliers de moines européens ont passé leur vie à recopier à la main les anciens parchemins de sorte à conserver les informations qu'ils renfermaient. Il devait bien y avoir un moyen de faire des milliers de copies des livres d'une manière rapide et peu coûteuse afin que tout le monde puisse les lire.

Les Chinois avaient depuis longtemps la solution. Leur invention était l'impression sur cliché en bois, et ils s'en servaient depuis la dynastie Tang en 618. On raconte qu'un empereur possédait 40 000 rouleaux imprimés dans sa bibliothèque! Les Chinois fabriquaient de l'encre avec de la suie, provenant des lampes à huile, qu'ils mélangeaient à de l'huile ou de l'eau. Ils gravaient soigneusement des images et des mots sur des blocs (appelés clichés) de bois qu'ils badigeonnaient d'encre. Les imprimeurs plaçaient ensuite une feuille de papier ou un morceau de soie sur le bloc et le frottaient avec une brosse. . . et voilà, une page imprimée. Il y avait malgré tout un problème avec cette méthode d'impression : une fois qu'un bloc était gravé, on ne pouvait plus le changer.

Au onzième siècle, les Chinois expérimentèrent une nouvelle technique d'imprimerie appelée «composition par caractères mobiles». Un certain Ching-li Pi Sheng fabriqua un moule d'argile pour chaque caractère dont était constitué l'alphabet chinois. Chaque fois qu'il voulait imprimer une nouvelle page, Sheng changeait les caractères pour former de nouveaux mots et de nouvelles phrases. Cette méthode aussi avait ses inconvénients. En effet, l'alphabet chinois comportant 30 000 caractères, on ne retrouvait jamais ceux dont on avait besoin. C'était un peu comme si l'on cherchait un grain de sucre dans une salière! Il va sans dire que les Chinois en revinrent à l'impression sur cliché en bois.

On agençait des milliers de lettres pour former des mots, des phrases et des paragraphes. On les enduisait d'encre puis on les plaçait dans la presse à imprimer.

En tournant une manivelle, l'imprimeur pressait un morceau de papier sur les lettres encrées.

On gravait les lettres de métal à l'envers pour qu'elles s'impriment à l'endroit.

En 1450, un orfèvre allemand, Jean Gutenberg, réinventa la composition par caractères mobiles. Il fabriqua une presse à imprimer qui utilisait des lettres moulées dans le métal. Gutenberg était plus chanceux que les Chinois; il n'avait que 26 lettres à faire. Sa presse était tellement perfectionnée que les 200 copies de la Bible qu'il imprima en 1456 sont considérées comme les éditions les plus fines jamais publiées.

Passez la monnaie!

Avant que n'existe le papier-monnaie, les gens échangeaient ce qu'ils possédaient contre ce dont ils avaient besoin, c'est ce qu'on appelle du troc. C'était bien compliqué quand il fallait faire des échanges importants. Mets-toi à la place des dirigeants de la Chine au douzième siècle. Ils viennent de perdre une bataille contre des nomades en guerre qui réclament une récompense. Que peuvent-ils donner aux vainqueurs? Leurs récoltes ont été détruites au cours de la bataille et ils manquent de pierres et de métaux précieux. Ils ont donc fait ce que tu aurais fait dans les mêmes circonstances : ils ont donné une reconnaissance de dette. Les Chinois, bien malins, rédigèrent des reçus sur des morceaux de soie parfumée dans lesquels ils promettaient de l'argent et de l'or. C'était là le premier papier-monnaie.

Au cours de ses voyages, l'explorateur Marco Polo fut surpris de voir que les gens se servaient de papier comme monnaie d'échange au lieu d'or, d'argent et de rubis. Il trouva même cet échange de papier mystérieux : on avait l'impression que les gens transformaient le papier en or.

De nos jours, seuls les gouvernements ont le droit d'imprimer du papier-monnaie et ils

doivent en garantir la valeur par des lingots d'or conservés dans les coffres d'une banque. De la même manière, quand on fait un chèque, on promet que l'on a suffisamment d'argent dans son compte en banque pour régler la somme en question.

Un chèque intéressant

Le premier chèque de l'histoire a été fait par Nicholas Vanacker à Londres, en Angleterre, le 22 avril 1659, pour la somme de 10 livres anglaises. Ce chèque a été revendu à une vente aux enchères en 1976 pour la somme de 1300 livres anglaises!

Activité avec du papier n° 1 : **Un repas cuit dans du papier**

On pourrait croire que du papier brûlerait si on le mettait au four. (En réalité, il brûlerait si la température dépassait 230°C (450°F). Cependant, dans un four chauffé à une température moyenne, on peut faire cuire un délicieux repas dans une enveloppe faite d'un papier de cuisson spécial qu'on appelle du papier-parchemin. Quel plaisir d'ouvrir l'enveloppe une fois la cuisson terminée et de respirer les arômes retenus jusqu'alors dans le papier!

La recette suivante est celle de poulet chinois mais tu peux aussi faire du poisson pour changer un peu. Il faut préparer chaque portion individuellement car cette recette est pour une personne.

Il te faut :
une plaque à biscuits
un petit bol
un petit couteau
une cuiller
1 c. à thé de sauce soja
1 c. à thé de miel
1 c. à thé d'huile végétale
1 oignon vert haché (le blanc ET le vert)
une poignée de noix de cajous ou d'arachides écalées
1 poitrine de poulet sans peau ni os (on peut acheter des blancs de poulet ainsi apprêtés au magasin d'alimentation)
1 grande feuille de papier-parchemin

1. Règle le four à 160°C (325°F).
2. Dans un bol, mélange la sauce soja, le miel, l'huile végétale, l'oignon vert haché et les noix.

3. Place la poitrine de poulet au milieu du papier-parchemin et verse par-dessus les ingrédients contenus dans le bol.
4. Replie le papier-parchemin bord à bord autour du poulet. Pince les rebords pour fermer l'enveloppe. Il faut qu'elle soit très bien scellée.

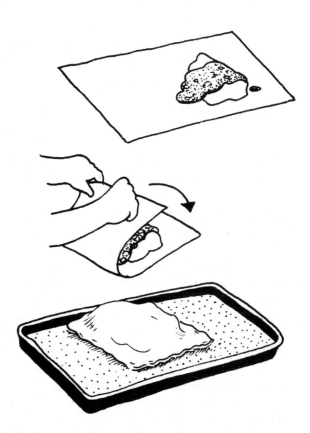

5. Place l'enveloppe sur la plaque à biscuits et fais cuire au four pendant 30 minutes.
6. Dépose l'enveloppe sur une assiette pour servir. Il ne faut pas manger le papier surtout! Ouvre l'enveloppe et savoure son contenu, servi avec du riz blanc et ta salade préférée, sans oublier les baguettes!

Inventions modernes en papier

Vite, sans réfléchir, nomme trois inventions en papier dont tu ne pourrais pas te passer. Mais oui! Du papier hygiénique, des mouchoirs de papier et des sacs en papier.

Pour s'essuyer

Le premier papier hygiénique était plié en feuilles et vendu en paquets de 500 feuilles pour 50 cents. Toute une aubaine, nous semble-t-il. Pourtant, pour l'inventeur, Joseph Gayetty, de New York, ce fut un véritable fiasco. En effet, en 1857, les gens ne comprenaient pas pourquoi ils devaient payer pour acheter du papier de toilette alors qu'ils avaient à leur disposition tout le papier qu'ils voulaient, à savoir des vieux catalogues et des journaux.

Les premiers rouleaux de papier hygiénique inventés deux ans plus tard en Angleterre ne se vendirent pas plus. Prudes comme ils l'étaient, les citoyens et citoyennes de l'époque victorienne ne parlaient pas de sujets aussi intimes. En Amérique, au contraire, les temps changeaient. Les installations sanitaires intérieures faisaient fureur. Deux Américains entreprenants, les frères Scott, qui vendaient déjà des serviettes en papier, se mirent à vendre des petits rouleaux de papier hygiénique perforé. Ils affirmèrent qu'il était «aussi doux que de la vieille toile de lin» et firent fortune.

Pour se moucher

Les frères Scott avaient au moins le mérite de bien connaître leur produit et de savoir comment en faire la publicité. Les inventeurs du Kleenex, eux, ne s'étaient même pas rendu compte qu'ils venaient de fabriquer le mouchoir jetable idéal.

Durant la Première Guerre mondiale, la compagnie Kimberly-Clark fabriqua, pour remplacer le coton, un produit fait à base de papier. On s'en servit pour faire des pansements sur les champs de bataille. Après la guerre, la compagnie essaya de vendre ses morceaux de papier pour remplacer les débarbouillettes en tissu. Au lieu de cela, les gens les utilisèrent pour se moucher.

Pour mettre en sac

Jusqu'en 1883, les sacs en papier étaient en forme de cornets et collés à la main. Ils ne contenaient pas grand-chose et il fallait les tenir d'une main et les remplir de l'autre. Par chance, Charles Stilwell inventa la première machine à fabriquer des sacs en papier à fond plat et à côtés pliés.

Pour se vêtir

Il y a quelques années, il aurait été impensable d'emmailloter un bébé dans autre chose que des couches en tissu tout doux. Aujourd'hui, au contraire, rares sont les bébés dont les fesses ne sont pas enveloppées dans des couches de papier absorbant.

Les adultes aussi peuvent se vêtir de papier. Les chirurgiens et les infirmières portent des blouses, des bonnets et même des bottillons en papier dans la salle d'opération car le papier peut être stérilisé avant usage et jeté après usage. On en est même arrivé à fabriquer des sous-vêtements en papier et — tiens-toi bien — des maillots de bain en papier.

Les tout premiers

C'est Jules César qui a réalisé le **premier journal**. Celui-ci décrivait les procès, annonçait les naissances, décès et mariages ainsi que les événements prévus au Cirque Maxime et au Colisée. Il paraissait tous les jours et était affiché sur les murs pour que tout le monde puisse le lire. Le seul problème, c'est que Jules César choisissait lui-même les nouvelles qu'il jugeait bonnes à imprimer. Il y a fort à parier que le journal n'a jamais suggéré que Jules soit jeté dans la fosse aux lions!

Les Hollandais furent les premiers à publier, en 1605, un journal renfermant des nouvelles sociales et politiques venues du monde entier.

Avant l'invention de la photocopie, on faisait des copies avec du papier carbone. Le **premier papier carbone** fut fabriqué en 1806 par Ralph Wedgewood de Londres, Angleterre, qui avait saturé d'encre du papier mince et l'avait ensuite fait sécher entre des feuilles de papier buvard.

La **première carte de souhaits de Noël** a été dessinée en Angleterre, tout spécialement pour Sir Henry Cole qui en a envoyé une copie à tous ses amis en 1843. L'idée devint très populaire et, en 1880, il y avait tellement de cartes de Noël que le service des postes britannique lança le slogan «Post Early for Christmas!» (N'attendez pas la dernière minute pour poster vos cartes de Noël!).

La première bande dessinée était un supplément illustré au *New York Journal* du dimanche 24 octobre 1897. Elle mettait en vedette «*The Yellow Kid*», un personnage chauve aux oreilles en feuille de chou.

Le carton existait déjà depuis 1700 mais on ne savait pas trop quoi en faire. Robert Gair de Brooklyn, New York, fut le premier à inventer une machine capable de couper et de plier du carton pour en faire les **premières boîtes en carton**. Cependant, c'est une compagnie de biscuits qui a rendu les boîtes en carton populaires.

En 1899, la *National Biscuit Company* mit sur le marché un nouveau produit : un craquelin du nom de *Uneeda Biscuit*. Ils emballèrent les craquelins dans des boîtes en carton pour qu'ils restent frais. Sur chaque boîte, était collée une bande en papier sur laquelle on suggérait au consommateur d'utiliser l'emballage en carton, une fois vide, comme boîte à lunch pour les enfants.

Cette boîte en carton eut un succès fou. On vit bientôt sur le marché des cartons de lait, des boîtes de céréales (les premières sur lesquelles on écrivit directement sur le paquet au lieu d'utiliser une bande) et des boîtes de jus. Actuellement, les Nord-Américains utilisent presque un demi-million d'emballages en carton par jour.

Activité avec du papier n° 2 : Une carte en trois dimensions

Tout ce qu'il te faut pour transformer deux feuilles de papier en une bouche qui parle, c'est une paire de ciseaux, un crayon, une règle et de la colle.

1. Prends deux feuilles de papier de 21,5 cm sur 28 cm chacune. Plie chaque feuille en deux. Mets une feuille de côté.

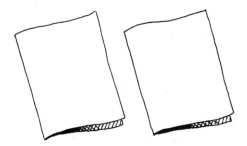

2. Sur ta feuille, trace un point à peu près au milieu du bord plié.

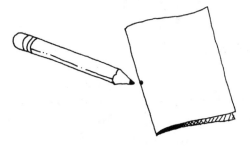

3. Trace une ligne de 5 cm à partir du point, vers le bord extérieur.

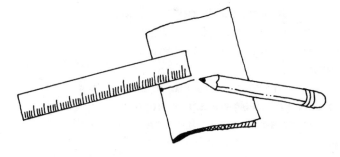

4. Découpe la ligne en commençant au bord plié.

5. Replie les rabats de façon à former deux triangles.

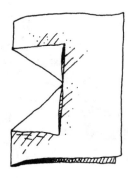

6. Ouvre de nouveau les rabats. Puis, ouvre la feuille au complet.

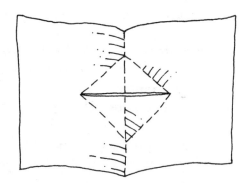

7. Voici la partie difficile! Tiens ta feuille comme si c'était une tente. Place ton index sur le triangle supérieur et enfonce-le. Pince les deux bords repliés du triangle supérieur, de façon à faire passer le triangle de l'autre côté de la feuille.

8. Place ton index sur le triangle inférieur et fais la même chose. Les triangles supérieur et inférieur sortiront à l'intérieur de la carte pour former une bouche. Lorsque tu ouvres et fermes la carte, la bouche remue comme si elle parlait. Lorsque ta carte est fermée, elle ressemble à ceci :

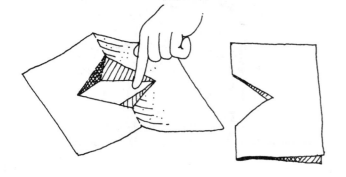

9. Dessine un monstre, un personnage ou un animal à partir de la bouche.

10. Colle ensemble les cartes intérieure et extérieure. *N'applique pas de colle autour de la bouche*. Tu as maintenant une couverture pour ta carte.

Autres idées

1. Pour faire la bouche parlante, dessine une ligne en zigzag au lieu d'une ligne droite. Maintenant, ta figure a des dents.

2. Dessine une tête et un corps à partir de la bouche. Pour que ta figure puisse tenir debout, fais le corps plus large que la tête.

Activité avec du papier n° 3 : Impression à la ficelle

En te servant de l'ancienne méthode d'impression sur cliché en bois, tu peux créer de superbes motifs avec lesquels tu pourras faire des dessins ou décorer du papier d'emballage.

Il te faut :
de la ficelle
3 petits blocs de bois
de la gouache de 3 couleurs différentes
3 moules à tarte en aluminium
du papier (papier d'emballage brun), du papier blanc ou même du papier de soie

1. Enroule de la ficelle plusieurs fois autour d'un bloc de bois.
2. Fais la même chose autour des deux autres blocs. Fais attention à ce que la ficelle ne se chevauche pas.

3. Verse de la gouache dans les trois moules à tarte, une couleur différente dans chacun d'eux.

4. Procède à ta première impression en trempant un bloc dans l'une des couleurs et en le pressant fermement sur la feuille de papier. Reproduis le motif autant de fois que tu le désires.
5. Répète l'opération avec les autres couleurs.

Un million d'amulettes

L'impératrice japonaise Koken fut la première à imprimer avec des clichés en cuivre, et non en bois. En 763, elle ordonna que l'on imprime un million d'amulettes (dharani). Chaque porte-bonheur comportait 25 lignes et était enchâssé dans une pagode miniature de trois étages. Pour achever cet ouvrage, il fallut engager 100 imprimeurs qui travaillèrent pendant sept ans!

Terrifiée par une épidémie de variole, Koken offrit les dharani aux démons de la maladie. En vain. L'impératrice mourut de la variole en 770, justement l'année où l'on termina son million d'amulettes.

L'homme qui inventa le papier

Certains archéologues attribuent à un Chinois dénommé Tsaï Lun l'invention du papier. D'autres experts pensent plutôt que les ancêtres de Tsaï Lun fabriquaient déjà, depuis des générations, une forme plus simple de papier dont Tsaï Lun aurait imaginé une nouvelle version améliorée.

Aussi surprenant que cela puisse paraître, la technique employée de nos jours pour fabriquer du papier repose sur les principes dont se servait Tsaï Lun il y a plus de 2000 ans. Tsaï jetait de vieux chiffons, des bouts de filets de pêche et du chanvre dans une cuve remplie d'un mélange d'eau bouillante et de cendres. Il écrasait ensuite cette mixture avec un mortier et un pilon jusqu'à obtenir une masse pâteuse qui aurait la consistance de porridge. Il versait la pâte dans un tamis fait d'un linge et laissait toute l'eau s'égoutter. Les fibres se collaient ensemble et séchaient au soleil. On pouvait soulever ce qui restait en un seul morceau. C'était du papier!

Pour convaincre les gens d'employer sa nouvelle invention, Tsaï usa d'une habile ruse. Il se cacha et fit croire au monde qu'il était mort. Ses associés organisèrent ses funérailles. Ils dirent à la foule venue à l'enterrement que Tsaï avait une dernière volonté : que l'on brûle du papier sur sa tombe. Ils déclarèrent que Tsaï croyait que du papier brûlé avait le pouvoir de donner la vie éternelle. Bien que sceptiques, les villageois respectèrent cette volonté et brûlèrent des morceaux de papier jusqu'à ce que la tombe soit entièrement recouverte de cendres. C'est alors que les amis de Tsaï déterrèrent son corps. Il était vivant!

Son secret magique n'était pas du papier brûlé. Il avait été enterré vivant et il respirait par une fine tige de bambou évidée qui traversait le sol et reliait le cercueil à l'air libre. Les villageois ne découvrirent pas la supercherie et ils prétendirent que c'était leurs fétiches en papier qui lui avaient donné la vie éternelle.

Tsaï Lun était trop rusé et sa malhonnêteté le perdit. Après le grand succès qu'il connut grâce à son papier, on l'honora à la cour impériale en lui donnant un poste important. Malheureusement, quelque temps plus tard, il s'opposa au dirigeant du pays et on le trouva coupable de s'être mêlé à un scandale au palais. Tsaï fit ce que l'honneur exigeait à l'époque : il avala une fiole de poison mortel.

Du vieux papier

Deux professeurs chinois exploraient les ruines d'une tour de guet dans les montagnes chinoises de Bayan-Bogdo lorsqu'ils découvrirent une boule de papier épaisse et froissée ornée de 12 caractères chinois. Ils l'analysèrent et découvrirent que c'était le bout de papier le plus ancien jamais découvert. Il avait été enfoui là aux environs de l'an 109 avant Jésus-Christ.

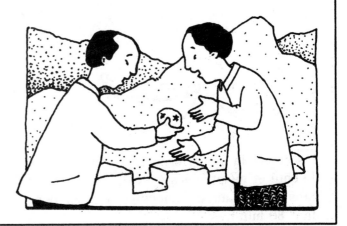

Fabrique du papier

Tu peux fabriquer du papier presque de la même manière que le faisaient les Chinois il y a des milliers d'années.

Il te faut :
5 feuilles de papier blanc propre
de l'eau chaude
2 cadres de la même grandeur
un morceau de grillage fin comme celui des moustiquaires, légèrement plus grand que les cadres
une agrafeuse et des agrafes
un grand bol
un mélangeur
de l'eau tiède
du colorant alimentaire (facultatif)
une cuvette profonde à moitié remplie d'eau tiède
deux serviettes ou couvertures usagées
des chiffons J
de l'empois en vaporisateur
une passoire

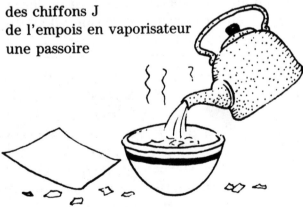

1. Déchire le papier en carrés d'environ 2 cm de côté et mélange-les avec de l'eau chaude dans le bol. Laisse le mélange tremper pendant 30 minutes.

2. Retire le verre des cadres. Mets un des cadres de côté; il va te servir de couverte.

3. Fabrique un tamis en agrafant du grillage tout autour de la face extérieure du second cadre.

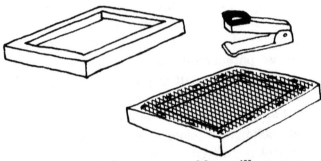

4. Place le tamis sur une table, grillage contre la table. Pose la couverte par-dessus. Tiens le tamis et la couverte ensemble : ils forment un moule.

5. Pour fabriquer la pâte, verse l'eau tiède dans le mélangeur, ajoutes-y une poignée de papier détrempé. Mélange à vitesse moyenne jusqu'à ce que tu ne voies plus de bouts de papier. La mixture devrait avoir l'aspect d'une bouillie assez liquide. Si tu veux du papier de couleur, ajoute quelques gouttes de colorant alimentaire.

6. Verse la pâte dans la cuvette à moitié remplie d'eau. Tu devrais obtenir du papier fin. Si tu veux du papier plus épais, fais d'autre pâte dans le mélangeur et ajoute-la dans la cuvette. Il se peut que tu aies besoin de faire plusieurs essais avant de trouver l'épaisseur qui te convient.

7. Tiens fermement le moule à deux mains. D'un mouvement lent, plonge-le dans la pâte et ressors-le aussitôt. Tu as dû ramasser de la pâte sur le grillage. Tiens le moule au-dessus de la cuvette et secoue-le doucement d'avant en arrière et d'un bord et de l'autre. L'eau va s'égoutter à travers le grillage et il ne va rester dans le moule que de la pâte tassée.

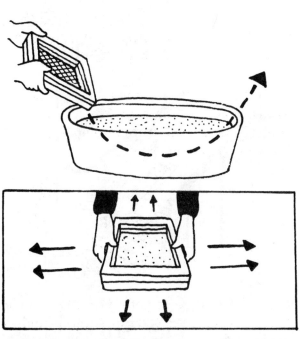

8. Mets le moule de côté pour quelques instants. Étale une serviette ou une couverture sur un comptoir ou sur une table. Mouille un chiffon J et place-le sur la serviette. Garde ta deuxième serviette à portée de la main.

9. En la soulevant délicatement, retire la couverte du tamis. D'un mouvement sec, retourne le tamis sur le chiffon J humide. Frotte le grillage avec tes doigts, pour en retirer tout excédent d'eau.

10. Soulève doucement le grillage. Le papier va coller au chiffon J. Laisse-le sécher. (Tu peux accélérer le séchage en couvrant le papier d'une serviette et en repassant le tout.)

11. Vaporise le papier d'empois.

12. Ne jette pas le mélange de pâte dans l'évier. Il pourrait boucher le tuyau. Filtre la pâte dans une passoire et conserve-la dans un sac en plastique au congélateur. Tu pourras t'en resservir.

La pâte à papier est fabriquée à partir des fibres de cellulose contenues dans les plantes; tu peux essayer de faire du papier à base de fibres de différentes plantes. Quand tu fais la pâte, tu peux ajouter l'un de ces ingrédients au mélange d'eau et de bouts de papier : des restes de carottes ou de brocolis cuits, de la paille, de l'herbe, des pelures d'oignon ou même de la ficelle déchiquetée. En revanche, s'il y a une chose qui *ne fait pas* du bon papier maison, ce sont bien des boules d'ouate!

Du papier fait main

Les premiers papetiers fabriquaient le papier à la main, à peu près de la même manière que tu viens de le faire. Ils ajoutaient tout d'abord de l'eau à des chiffons de coton et de lin, puis ils les broyaient. Au lieu de se servir d'un mélangeur, ils broyaient à la main à l'aide d'un mortier et d'un pilon. Ils ajoutaient de l'eau et écrasaient la mixture jusqu'à ce que les chiffons soient réduits en une bouillie appelée pulpe ou pâte. Ils égouttaient la pâte et la pressaient jusqu'à ce qu'il ne reste plus d'eau du tout. Cela prenait une journée entière à cinq hommes pour fabriquer 800 feuilles de papier. C'était un travail très dur.

Les papetiers n'avaient pas la vie facile. Ils travaillaient 12 heures par jour, penchés sur des cuves d'eau bouillante, dans des pièces obscures et humides. À l'époque, on savait tout de suite d'après son apparence qu'un homme était papetier : les papetiers avaient le dos voûté et la peau du visage et des bras rouge et luisante à force d'être exposée à la vapeur brûlante.

Messages secrets chinois

L'écriture chinoise est très complexe, et il faut beaucoup de temps et de pratique pour maîtriser la direction et l'épaisseur des traits qui la composent. Tu peux néanmoins apprendre quelques symboles de base. Un pinceau et de l'encre donnent de meilleurs résultats.

Ce qui est appréciable dans l'écriture chinoise, c'est qu'en associant deux caractères, on peut obtenir une autre notion. Par exemple, si l'on prend le caractère représentant le paradis et celui qui représente une personne, on obtient un symbole qui signifie un ange. Voici d'autres exemples :

en bas + montagne = descendre d'une montagne
soleil + mois = brillant

À ton avis, quels mots obtient-on si l'on associe les caractères suivants :
montagne + eau
feu + montagne

En chinois, les phrases sont construites selon la même séquence que la majorité des phrases en français : le sujet est placé le premier, suivi du verbe, puis du complément. Tous les adjectifs précèdent le nom qu'ils qualifient. Il n'y a pas de pluriel dans l'écriture chinoise. Es-tu capable d'écrire la phrase suivante en caractères chinois?
Un jour deux personnes descendent de la montagne.

Réponses à la page 76.

personne   en bas   montagne

avoir, posséder, exister, il y a   jour, soleil   mois

eau   un   deux

trois   femme   feu

Du papier dans la nature

Si l'on examine au microscope une portion de nid de guêpes et une feuille de papier, on peut à peine les différencier. En effet, guêpes et humains fabriquent du papier presque de la même manière, à savoir en malaxant du bois pour en faire une pâte.

C'est la reine des guêpes qui démarre le processus. L'hiver fini, elle est la seule survivante de tout le guêpier. Il est rare qu'une reine fonde une nouvelle colonie dans un ancien nid. Elle se cherche plutôt un endroit où en construire un nouveau. Certaines espèces de guêpes cartonnières fabriquent leur nid en haut des arbres ou sous l'avant-toit d'un immeuble; d'autres nichent sous terre.

Pour commencer son nid, la reine mâche les fibres provenant de bois mort ou de débris de papier, en les mêlant à sa salive, jusqu'à ce que le mélange ait une consistance pâteuse. Elle boit de l'eau boueuse qu'elle recrache sur le nid pour coller les fibres de papier ensemble.

En observant la guêpe de près

Une seule famille de guêpes — les guêpes cartonnières — construisent des nids en papier. Les guêpes cartonnières sont faciles à reconnaître car elles sont minces, noires ou brunes et ont sur l'abdomen des anneaux jaunes ou orange. Elles sont pourvues d'un aiguillon pour se défendre et de mandibules (mâchoires) pointues qui leur servent à gratter le bois pourri des arbres ou des maisons. À l'automne, quand elles ont terminé la dure besogne qui consiste à nourrir les larves et à bâtir le nid, elles aiment nous importuner et manger notre nourriture.

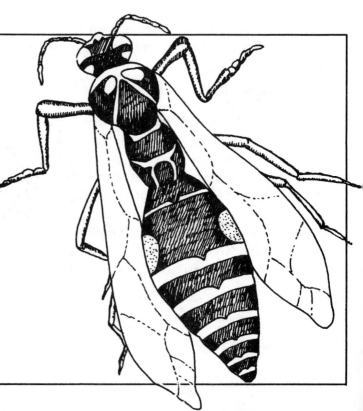

La reine fabrique un long pédicule entouré d'une paroi en forme de cloche. Elle ajoute ensuite une mince couche de loges rondes en papier que l'on appelle des cellules ou des alvéoles et elle pond un oeuf dans chacune d'elles. Au fur et à mesure qu'elle construit de nouvelles loges, les côtés des précédentes sont comprimés et prennent une forme hexagonale. Elle recouvre chaque couche d'alvéoles d'une enveloppe de papier. Une fois les oeufs éclos, elle nourrit ses larves tout en poursuivant sa tâche laborieuse, qui consiste à construire le nid et à pondre des oeufs.

Quand les larves de guêpes se sont développées, elles se transforment en chrysalides, un peu comme les chenilles se métamorphosent dans leur cocon. La reine tisse un couvercle en soie par-dessus chaque chrysalide. Les chrysalides vont se changer en guêpes femelles, les ouvrières, et ronger leur alvéole pour en sortir.

À présent, tout le monde met la main à la pâte. L'enveloppe de papier qui recouvre les alvéoles a maintenant la forme et la taille d'un ballon de football pourvu, en son bas, d'une petite ouverture. La reine a effectué le travail le plus difficile; elle se contente désormais de pondre des oeufs. Les ouvrières bâtissent d'autres alvéoles, vont en quête de nourriture pour sa majesté la reine et nourrissent les nouvelles larves. À la fin de l'été, un guêpier peut comporter 12 000 alvéoles.

À la fin de l'automne, certains oeufs ont donné naissance à de nouvelles reines. Celles-ci se construiront à leur tour un nid au printemps suivant.

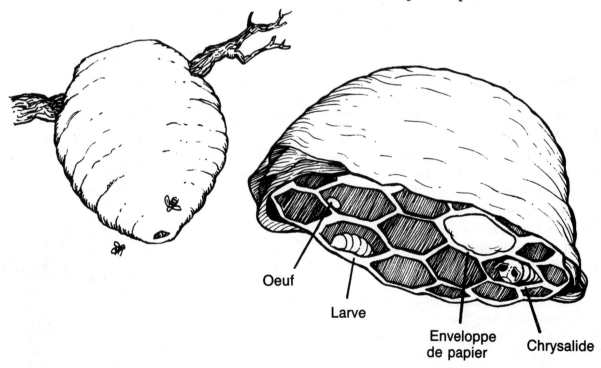

Oeuf

Larve

Enveloppe
de papier

Chrysalide

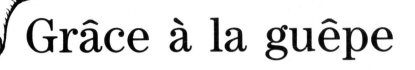

Grâce à la guêpe

Au début du dix-neuvième siècle, les papetiers commencèrent à manquer de vieux linges pour fabriquer du papier.

Il leur fallait trouver une matière première qui puisse remplacer les chiffons. Le savant français René de Réaumur se tourna vers la nature pour trouver une solution. Après avoir longuement observé la guêpe cartonnière, il déclara qu'il avait découvert une méthode qui permettait de faire du papier uniquement à partir de fibres de bois. Cela se passait en novembre 1719, mais, pendant plus d'un siècle, personne ne prit en considération l'idée ingénieuse de Réaumur.

En 1840, un tisserand allemand, Friedrich Keller, inventa une machine capable de réduire un bout de bois en fibres. En 1841, deux Anglais, Burgess et Watt, découvrirent une autre méthode pour broyer le bois et

En quête de chiffons

Lorsqu'on manqua de chiffons, deux Américains entreprenants apprirent que les compagnies de chemin de fer égyptiens se servaient des bandelettes d'étoffe qui enveloppaient les momies comme combustible pour leurs trains. Si les Égyptiens pouvaient se servir de ces vieilles bandelettes, pourquoi l'industrie papetière ne le ferait-elle pas elle aussi? Ces deux hommes commencèrent donc à importer des momies et ils en retirèrent les bandelettes de fine étoffe pour en faire de la pâte à papier. Il pouvait y avoir jusqu'à 18 kg de tissu autour d'une princesse.

(Les Égyptiens momifiaient également les chats, les vaches et les crocodiles.)

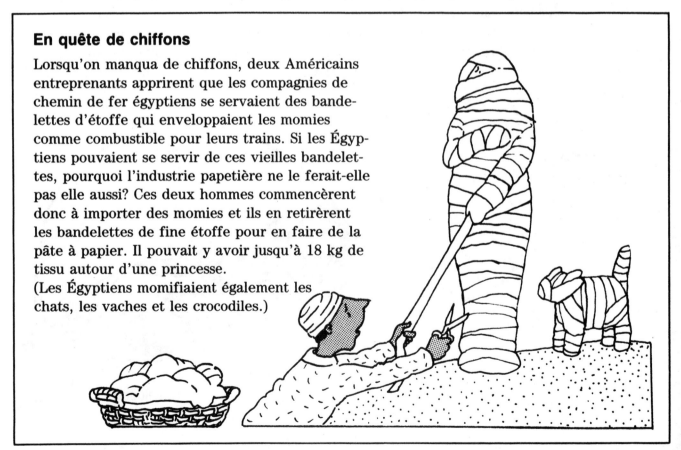

le transformer en fibres. Ils faisaient bouillir des copeaux de bois dans une préparation chimique appelée de l'alcali caustique. Et en 1865, l'Américain Benjamin Tilghman fabriqua des fibres encore plus résistantes en faisant bouillir des copeaux de bois dans un produit chimique différent, du sulfite de sodium.

Tous ces inventeurs ont ouvert la voie au progrès. Au moment de la Confédération canadienne, en 1867, la majorité des «moulins à papier» d'Amérique du Nord et d'Europe se servaient, pour fabriquer du papier, de pâte faite à base de bois au lieu de chiffons. Tout ce qu'il fallait, c'était trouver un site approprié pour construire des papeteries : il fallait qu'il soit approvisionné en eau — source d'énergie indispensable —, proche des routes nécessaires au transport et d'une réserve de bois. Les vastes étendues nord-américaines offraient tous ces facteurs.

Des énigmes de papier

Tu trouves peut-être que le papier est quelque chose de bien ordinaire. Eh bien, tu te trompes. Il peut au contraire être surprenant, laisser perplexe et poser même des problèmes. Voici quelques énigmes de papier qui vont faire travailler tes méninges. Prends tout ton temps car ces expériences comportent de petites astuces.

Bien au sec

Comment une serviette en papier plongée dans l'eau peut-elle rester sèche?

Il te faut :
une serviette en papier ou un morceau
  d'essuie-tout
un verre
un bol ou un récipient transparent
de l'eau

1. Froisse la serviette en boule et mets-la dans le fond du verre.
2. Remplis le bol d'eau.
3. Retourne le verre et plonge-le dans l'eau. Tiens-le bien droit. Laisse-le dans l'eau quelques instants.

4. Sors le verre de l'eau. Retire la serviette du verre. Pourquoi est-elle sèche?

Explication
Bien que le verre semble vide, il est plein. . . d'air! L'air empêche l'eau d'être en contact avec la serviette. Recommence l'expérience mais cette fois-ci en penchant légèrement le verre. D'après toi, pourquoi la serviette se mouille-t-elle?

Des trombones magiques

As-tu déjà vu deux trombones s'enlacer?

Il te faut :
un billet de banque
2 trombones

1. Plie le billet comme ceci :

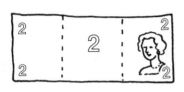 

2. Attaches-y les trombones exactement comme cela :

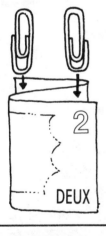 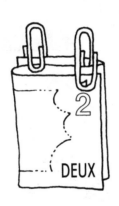

3. Tiens le billet par les deux bouts. Fais bien attention qu'il n'y ait personne sur la trajectoire. Tire vivement sur les deux bouts du billet. Et voilà, tes deux trombones sont enlacés.

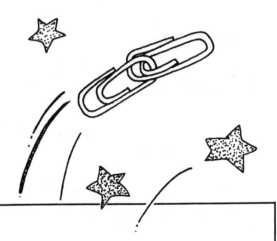

Un mystère sous pli

Es-tu capable de plier un bout de papier — n'importe quelle sorte de papier — dix fois?

Il te faut :
3 morceaux de papier d'épaisseur et de format différents (par exemple, du papier journal, du papier à lettres et une carte de souhaits)

1. Plie chaque bout de papier en deux, puis encore en deux.

2. Continue de plier. Es-tu capable de plier plus de neuf fois?

Explication
Chaque fois que tu plies le papier, tu augmentes le nombre d'épaisseurs. Lorsque tu as plié le papier neuf fois, tu as obtenu 128 épaisseurs de papier. Personne n'est capable de plier une telle épaisseur!

Dur, le papier

Si tu as déjà été importuné(e) par un gros dur qui prétend être plus grand et plus fort que tout le monde, voici un défi qui devrait le remettre à sa place.

Il te faut :
5 feuilles doubles de journal
une règle en bois
une table

1. Étale les journaux sur la table.
2. Place la règle sous les journaux, à quelques centimètres du pli central, de sorte qu'environ la moitié de la règle dépasse de la table.

3. Essaie de soulever les journaux en frappant sur la règle.

4. Demande au gros dur d'essayer. Aussi fort qu'il puisse être, il ne parviendra pas à soulever les journaux.

Explication
Une grande quantité d'air pèse sur les journaux; pour être exact il y a 103 kPa (soit plus de 10 000 kilogrammes au mètre carré). Rien d'étonnant alors que le gros dur ne réussisse pas à les soulever. D'ailleurs, s'il essaie avec trop de force, il risque même de briser la règle.

Des carrés et des cubes

Si tu décollais une boîte carrée, tu trouverais un morceau de carton formé de six carrés égaux.

Supposons maintenant que tu aies six carrés de papier. De combien de façons pourrais-tu les agencer pour obtenir un cube?

Réponse à la page 76.

Il te faut :
6 carrés de carton ou de papier de la même grandeur
de la colle ou du ruban adhésif

1. Agence les carrés de sorte à former des figures différentes.
2. Colle les bords ensemble.
3. Plie le tout de façon à obtenir un cube, si cela est possible.
4. Reproduis le schéma des agencements qui ont pu former des cubes, et compte-les.

Pourquoi le papier coupe-t-il?

Tu sais probablement que chaque fois que tu te coupes avec un couteau ou un rasoir, les terminaisons nerveuses présentes dans ta peau disent à ton cerveau que tu éprouves de la douleur. Mais comment une si innocente feuille de papier peut-elle couper et faire si mal?

La réponse se trouve dans la résistance du papier et la pression exercée contre lui. Le papier tient sa résistance des fibres entrelacées qui le constituent. Quand ton doigt heurte une feuille, le papier ne se plie pas, il touche le bout de ton doigt de plein fouet.

Tu te coupes avec du papier quand ta peau heurte le bord d'une feuille brusquement et avec force. Du fait que tu appliques une force importante sur une petite surface (le bord mince du papier), tu exerces une pression. Ta peau étant incapable de résister à tant de pression, le papier la coupe donc net. Plus le papier est mince, plus on a de risques de se couper.

Une question de poids

Pourrais-tu faire tenir un livre sur le bord d'une feuille de papier?

Il te faut :
du papier machine
du ruban adhésif
un livre

1. Plie des feuilles de papier de façon à obtenir différentes figures. Colle-les au besoin avec du ruban adhésif. Peux-tu trouver une forme qui supporte un livre?
Chose étonnante, une forme en cylindre, en triangle ou en étoile supportera le poids d'un livre. Même du papier plié en accordéon peut le faire.

Explication

Si tu essayais de poser un livre sur le mince bord d'une feuille de papier, le papier se froisserait et le livre tomberait. Cela s'explique par le fait que tout le poids du livre serait concentré sur une très petite surface. Quand on donne au papier la forme d'un cylindre, d'une étoile ou d'un triangle, on augmente la superficie du papier. Le poids du livre est alors réparti sur une plus grande surface. Quel miracle! Une seule feuille de papier peut supporter le poids de *plusieurs centaines* d'autres!

Sur le pont. . .

Essaie à présent de construire des ponts en papier. Tu peux défier tes ami(e)s à qui construira le pont le plus solide. Bien que vous ayez chacun au départ le même matériel, vous n'avez pas nécessairement besoin de vous servir de tous les éléments pour construire un pont solide.

Il te faut :

2 verres en papier et 2 morceaux de papier
   pour chaque constructeur
du ruban adhésif
des sous pour tester la solidité des ponts

1. Distribue à chaque constructeur deux verres en papier, deux morceaux de papier et du ruban adhésif.
2. Les constructeurs ont le droit de plier, de courber ou de coller leur matériel.
3. Une fois les ponts construits, testez la solidité de chacun en empilant les sous en leur milieu. Le pont qui supporte le plus d'argent est le plus solide.

Réponse à la page 76.

Au Japon, il existe une vieille légende qui raconte qu'une grue vit pendant mille ans et qu'une personne malade qui plie 1000 grues en papier verra son voeu exaucé et recouvrera la santé. Sadako Sasaki, une fillette de 11 ans fort courageuse, voulait croire à tout prix à cette histoire.

Plusieurs années après que les Américains aient mis fin à la Seconde Guerre mondiale en lançant une bombe atomique sur la ville japonaise d'Hiroshima, Sadako fut atteinte de leucémie, une forme de cancer qui peut être causée par les radiations libérées par la bombe. Bien que très faible, elle pliait tous les jours des grues en papier. Le jour de sa mort, le 25 octobre 1955, elle avait une volée de 644 grues suspendues au plafond de sa chambre d'hôpital.

Les camarades de classe de Sadako furent si peinés qu'ils plièrent 356 autres grues afin que la fillette soit enterrée avec un millier de grues. Certains de ses amis trouvaient qu'il fallait bâtir un monument à la mémoire de Sadako et de tous les enfants tués par la bombe atomique. Aux quatre coins du pays, les écoliers japonais ramassèrent suffisamment d'argent pour construire un monument. Aujourd'hui, au centre du parc de la Paix d'Hiroshima, se dresse une statue de Sadako debout au sommet d'une montagne et tenant dans sa main une grue en or.

Chaque année, le 6 août, jour de la Paix, les citoyens fabriquent des milliers de grues en papier qu'ils déposent au pied de la statue de Sadako dans l'espoir que l'on n'oublie jamais pourquoi est morte une fillette courageuse.

Il est très difficile de faire des grues en origami. Tu peux néanmoins t'initier à l'art du pliage du papier en faisant cet oiseau.

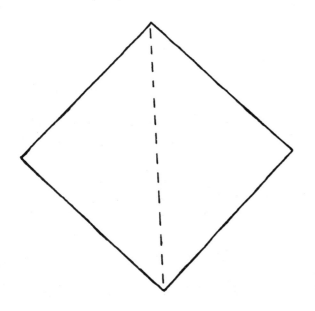

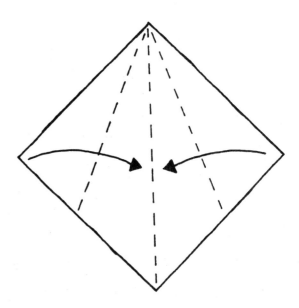

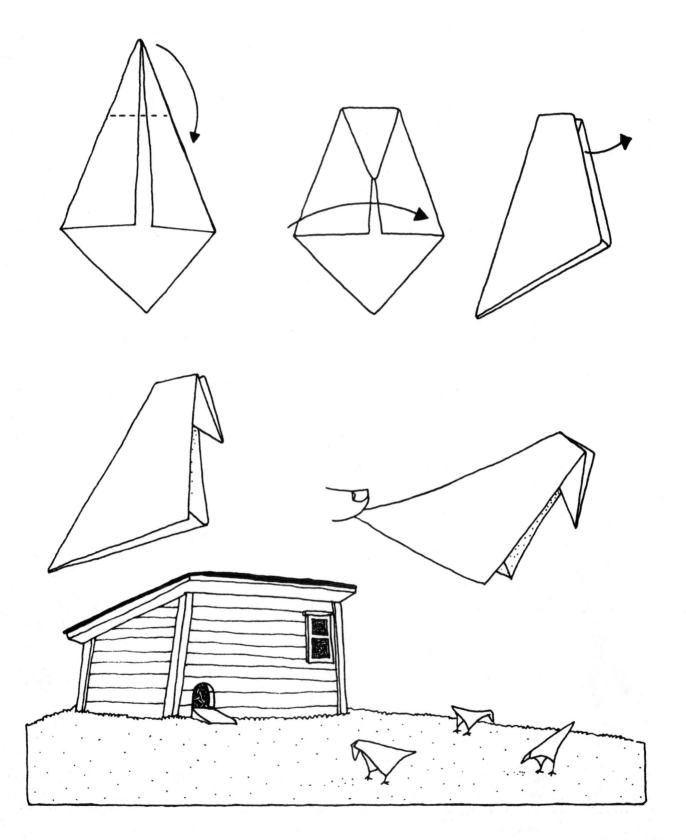

Les bûcherons de la colonie

Les bûcherons du temps de la colonie pouvaient vous raconter des histoires à vous donner des frissons dans le dos : ils prétendaient couper des troncs d'arbres aussi larges que des chariots ou se réveiller, après les nuits d'hiver si froides, les cils collés par le gel. Ils vous parlaient de forêts très denses peuplées de mouches noires dont les piqûres causaient une infection pouvant entraîner la mort. On se demande alors pourquoi ces hommes acceptaient un emploi sale, dangereux, où ils devaient affronter le froid et la solitude dans un environnement hostile. Pour une seule et unique raison : l'argent. La majorité des colons étaient des fermiers. Ils avaient besoin de leur salaire de bûcherons pour subvenir aux besoins de leur famille et de leur bétail durant l'hiver.

La vie dans les camps de bûcherons était rude. Les hommes partaient dans les bois à l'automne, juste après la moisson. Dès leur arrivée, ils se construisaient une cabane de rondins constituée d'une seule pièce. Par un trou pratiqué dans le toit s'échappait la fumée provenant d'un feu de camp qui brûlait 24 heures sur 24 au milieu de la cabane. Les couchettes étaient faites de jeunes arbres recouverts de papier goudronné et de branches de pin. Les bûcherons intercalaient parfois des journaux entre leurs couvertures pour avoir plus chaud. Le vent glacé qui s'infiltrait entre les rondins de la cabane obligeait les hommes à dormir vêtus de leur manteau et de leur tuque.

Les bûcherons mangeaient la même chose tous les jours : pois, fèves, porc salé, pain, fromage, thé et mélasse. En ce temps-là, les comprimés de vitamines n'existaient pas et de nombreux bûcherons souffraient de scorbut car ils manquaient de vitamine C contenue dans les fruits et les légumes. Dans les camps où les conditions étaient meilleures, les cuisiniers servaient des fruits secs et des tomates en conserve pour parer à ce problème.

Le contremaître dirigeait le camp d'une main de fer. Il connaissait toutes les besognes et faisait travailler les bûcherons sans relâche. Un groupe d'hommes que l'on appelait les abatteurs avait pour tâche d'abattre les arbres à l'aide de haches, de scies et de passe-partout (de grosses scies munies, à chaque extrémité, d'une poignée, et actionnées par deux hommes).

Une fois un arbre abattu, on le tronçonnait en rondins, que des attelages de chevaux ou de boeufs transportaient depuis la forêt jusqu'au bord de la rivière ou de la route la plus proche. Transporter

ainsi le bois hors de la coupe s'appelle débarder. Les bûcherons construisaient des chemins de débardage faits de rondins assemblés côte à
côte. Ces chemins étaient verglacés et il arrivait qu'un traîneau sur lequel
était empilée une montagne de rondins dévale à toute vitesse des pentes
escarpées pour aller s'écraser en bas de la colline, chevaux, hommes et
chargement compris.

De nos jours, les grumes (c'est-à-dire les troncs d'arbres abattus et
ébranchés) sont transportées par camion (que l'on appelle un grumier) et
transformées en bois d'oeuvre ou en papier à l'usine. Au début du XXe siècle, cependant, le travail était fait en grande partie dans la forêt même.
Le bois destiné à la construction était débité et taillé par des hommes
appelés des équarrisseurs. On attachait ensemble vingt morceaux de bois
équarri pour former une «brelle» carrée, puis on amarrait les brelles
ensemble pour former un radeau ou train de bois. Au printemps, on procé-
dait au flottage. Les trains de bois étaient conduits sur la rivière par des
hommes appelés des draveurs.

Le bois destiné aux moulins à papier était lâché sur le cours d'eau, sans
que les rondins ne soient liés les uns aux autres. Il arrivait donc que certains restent coincés dans des anses ou dans les courbes étroites de la
rivière. Les draveurs avaient la dangereuse tâche de diriger et de séparer

les rondins en les poussant avec des bâtons (ou de la dynamite). Tu as peut-être déjà vu des concours de flottage de bois; c'est de la rigolade comparé à ce que c'est réellement sur une rivière. Un pas de travers, et le malheureux draveur plongeait dans une rivière glacée et écumante ou se retrouvait coincé entre plusieurs rondins.

Les bûcherons de la côte Ouest n'avaient pas à affronter le froid. Ils faisaient cependant face à un autre problème : les arbres eux-mêmes. Ils étaient énormes et pourvus de grosses racines qui sortaient de terre. Les bûcherons devaient escalader les racines pour atteindre le tronc à scier. N'étant pas debout à même le sol, les bûcherons devaient pratiquer des entailles dans le tronc, dans lesquelles ils insé-raient des planches de bois qui ressemblaient à de petits plongeoirs. Six hommes ou plus pouvaient se tenir sur une de ces plates-formes et y travailler ensemble à couper l'arbre.

L'agriculture étant peu répandue et le climat tempéré, les bûcherons de la côte ouest travaillaient à longueur d'année. Ils enduisaient leurs chemins de débardage d'huile de baleine pour que les rondins, tirés par des boeufs de trait, glissent facilement. Par la suite, les bûcherons se sont servis de machines à vapeur, appelées des treuils de débardage, pour transporter le bois hors de la forêt.

44

Au début, les forêts poussaient à proximité de la côte. Il était facile de transporter le bois le long des chemins de débardage vers la côte, pour les acheminer ensuite par voie d'eau vers les usines. Cependant, plus on coupait les forêts, plus les bûcherons devaient s'éloigner et monter plus haut dans les montagnes pour y trouver des arbres. Construire des chemins de débardage sur le flanc de la montagne était une entreprise trop dangereuse et trop coûteuse.

Pour transporter le bois, les bûcherons mirent donc au point un système de «remonte-pente». Un homme, qu'on appelait l'ouvrier grimpeur, grimpait à l'arbre le plus haut du secteur et il en coupait la cime. Il attachait ensuite un système de câbles et de treuils au sommet de la tour qu'il s'était faite dans l'arbre, à une autre tour à quelque distance de là. Les grumes étaient ensuite fixées au câble et tirées par un moteur à vapeur. Aujourd'hui, de puissants moteurs diesel ont remplacé les moteurs à vapeur.

Une lourde charge

Une fois abattu, un arbre à bois tendre peut peser jusqu'à une tonne (1000 kg), soit l'équivalent de 14 hommes adultes. Imagine ce que cela représente de transporter un poids pareil depuis le sol de la forêt jusqu'à une route. Dans les forêts de l'Est, d'énormes tracteurs forestiers, appelés des tracteurs-traîneurs, traînent les grumes. Ces machines ont une puissance incroyable que même Babe, le boeuf de Paul Bunyan, était bien loin d'avoir.

Histoires invraisemblables

Pour passer le temps, les bûcherons jouaient du violon et se racontaient des histoires à dormir debout. Jos Montferrand est un bûcheron qui a réellement existé dans les années 1800. Il vagabondait dans la vallée de l'Outaouais et dans la région de Montréal, et était célèbre pour ses exploits athlétiques, sa grande taille et ses talents de draveur. De San Francisco à Montréal, on se racontait des histoires relatant la vie de ce héros des lacs et des bois. Mais bon nombre de ces légendes tombèrent dans l'oubli en même temps que mourut Montferrand en 1884. Le conteur canadien Bernie Bedore rend hommage à la mémoire du vrai Montferrand en racontant des histoires dont le héros est un géant imaginaire, Joe Mufferaw. Voici l'une d'elles :

Joe Mufferaw pêchait sur les rives de la rivière Bonnechere, avec son cuisinier, Charlie Six-Hands. Comme le poisson ne mordait pas, Joe décida de se rendre à son camp de Snow Boom, à environ 8 kilomètres de là. Il fut de retour en quelques minutes, équipé d'un câble d'acier, d'un hameçon et d'un flanc de boeuf. Il amorça sa ligne et attendit.

Au bout d'environ une heure, un vieux poisson-chat énorme mordit à l'hameçon. Joe réussit à coincer son pied sur un radeau. Le vieux poisson-chat tira Joe et le radeau autour du lac pendant trois jours et trois nuits.

La troisième nuit, le poisson aperçut un feu allumé sur la rive du lac. Croyant que c'était le soleil, il fonça droit sur lui. Le poisson-chat heurta le rivage et Joe voltigea dans les airs.

Les gens estimèrent que c'était le plus gros poisson qui ait jamais été pris. Joe en vendit la peau à la marine qui en fit des bateaux. Les barbillons (moustaches) servirent à fabriquer des mâts. On enchâssa les globes oculaires dans du verre et Joe prétendit qu'on les employa pour faire les dômes d'un palais de maharajah. Un fermier utilisa les arêtes comme chevrons pour la toiture de sa ferme.

Chaque fois que Joe racontait son histoire de pêche, ceux qui l'écoutaient se contentaient de dire : «Ça alors, c'était un gros poisson!»

Paul Bunyan était un autre héros légendaire. Certains prétendent que c'était le bûcheron le plus grand, le plus fort et le plus rapide qui ait jamais existé. Il pouvait distancer son ombre et il lissait sa barbe avec un vieux pin qu'il avait arraché de la terre. À sa naissance, dans un village tranquille du Maine, Paul pesait 90 kg. S'il gigotait, il pouvait abattre des arbres et quand il se mettait à pleurer, on aurait dit un ouragan qui déchirait la forêt.

Un été, Paul alla rendre visite à un autre géant, Billy Pilgrim. Billy creusait le lit du Saint-Laurent car il n'y avait pas de séparation entre le Canada et les États-Unis et l'on ne savait jamais dans quel pays on se trouvait. Depuis trois ans qu'ils y travaillaient, Billy et ses amis n'avaient encore creusé qu'un petit ruisseau. Paul prétendit qu'il pouvait creuser le lit du fleuve en trois semaines. Billy le prit au mot et paria avec Paul un million de dollars qu'il en était incapable.

Paul fit appel à ses employés : Johnnie Inkslinger, le comptable; Ole le grand Suédois; Brimstone Bill et Babe, le boeuf bleu de Paul. Paul ne se déplaçait jamais sans son cuisinier, Hot Biscuit Slim et son aide-cuisinier, Cream Puff Fatty. Comme dîner (soi-disant léger), Paul était capable de manger 200 crêpes, 22 jambons, 65 saucisses et un plein wagon de sirop d'érable.

Ils fabriquèrent une grosse pelle qu'ils attachèrent avec une longue corde derrière Babe. Ils creusèrent tous les jours et Babe transportait la terre au Vermont. Certains affirment que la terre s'y trouve toujours, et qu'elle a formé ce que l'on appelle maintenant les *Green Mountains of Vermont* (les Montagnes vertes du Vermont)

Billy Pilgrim tenta de ralentir le travail en leur jouant des tours. Mais Paul et son équipe n'étaient pas du genre à se laisser avoir et ils achevèrent leur ouvrage en trois semaines. Très avare, Billy refusa de payer son dû. Paul ramassa donc sa pelle et se mit à remettre la terre dans le lit du fleuve. Inquiet, Billy proposa de payer la moitié de l'argent qu'il devait. Paul continua de pelleter. Billy offrit alors de payer les deux tiers de la somme qu'il devait. Paul continua de pelleter. Finalement, alors que Paul était en train de jeter la millième pelletée de terre, Billy lui tendit un million de dollars.

Certains croient que l'on peut encore voir les pelletées de terre que Paul et ses hommes ont jetées dans le Saint-Laurent : c'est ce qu'on appelle les Mille-Isles.

Bague de
Paul Bunyan,
grandeur nature.

Le bûcheronnage aujourd'hui

Autrefois, n'importe qui pouvait prendre une scie, se rendre dans le bois et s'appeler un bûcheron. Plus maintenant. De nos jours, les abatteurs doivent porter des vêtements protecteurs (protège-oreilles, lunettes spéciales, casques, jambières, bottes de travail) et ils se servent de scies à moteur puissantes qu'on appelle des tronçonneuses.

Actuellement, de nombreuses compagnies forestières se servent de machines capables de tout faire. Une seule et même machine, appelée une abatteuse universelle, peut abattre un arbre, l'ébrancher, le débiter en rondins et empiler ceux-ci en moins d'une minute!

Certains pensent que les lourdes roues de ces machines monstrueuses endommagent la terre ou détruisent les couches supérieures du sol qui renferment les éléments nutritifs indispensables à la vie de la forêt. D'autres, au contraire, disent que les roues déchiquettent les branches laissées sur le sol et accélèrent ainsi leur décomposition, ce qui permet à la forêt de récupérer plus rapidement de nouvelles réserves nutritives.

Experte en forêt

Il a fallu couper un arbre pour fabriquer ce livre. Et après? te dis-tu peut-être. Il y a beaucoup d'arbres : environ la moitié du territoire canadien et le tiers de celui des États-Unis sont couverts de forêts. Les arbres sont une ressource renouvelable : on peut les couper, ou ils peuvent éventuellement brûler, et d'autres arbres pousseront pour les remplacer. Dans ces conditions, pourquoi s'inquiéter? Pour la simple raison que la nature est très lente. Il faut au moins 60 ans et souvent même 100 ans pour qu'une forêt que l'on a coupée redevienne comme elle était auparavant. Les fabricants de papier et les autres utilisateurs de bois sont impatients : ils veulent du bois qui soit facile à trouver, facile à couper et parfait pour fabriquer du papier ou comme bois d'oeuvre.

C'est pour cette raison que, au lieu de compter uniquement sur la nature, les forestiers ont appris à «cultiver» les forêts. Si tu veux savoir comment ils s'y prennent, tourne la page. Nous avons posé des questions à Francine, une travailleuse forestière employée par une compagnie papetière qui possède une exploitation forestière immense en Colombie-Britannique.

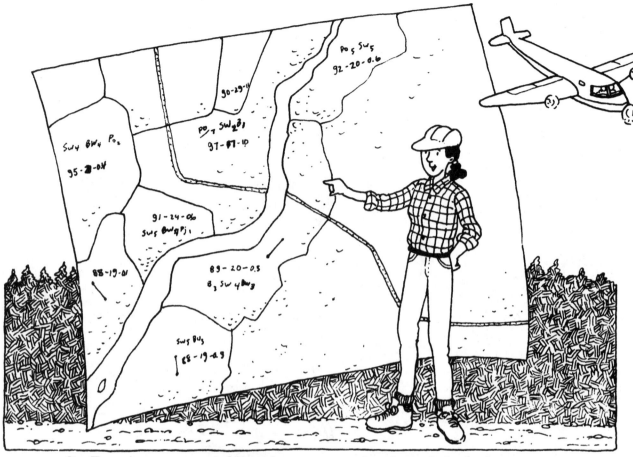

Q : Francine, comment déterminez-vous quels arbres de la forêt vous allez couper?

R : Disons que nous devons faire preuve de beaucoup de jugeote. Équipés de caméras très sophistiquées, nous survolons la forêt afin de calculer le nombre d'arbres existants. Nous faisons ensuite des probabilités, c'est-à-dire que nous calculons à quelle vitesse ils vont pousser et combien d'entre eux risquent de mourir victimes des insectes ou des incendies. Je dessine ensuite une carte qui montre précisément où couper et quand. Il y a des jours où j'aimerais bien avoir une boule de cristal car je dois prévoir l'avenir et deviner de quelle quantité d'arbres nous aurons besoin dans 50 ou même 100 ans!

Q : Replantez-vous des arbres de la même espèce que ceux que vous avez coupés?

R : Parfois, oui. Les forêts naturelles sont peuplées d'arbres de plusieurs espèces (en termes forestiers, on parle d'essences). Comme nous ne voulons, pour la fabrication du papier, que des arbres à bois tendre, nous faisons pousser des forêts peuplées d'une ou de deux espèces de superarbres.

Ennemis ou amis?

Certains insectes, comme la tordeuse des bourgeons de l'épinette qui se nourrit des feuilles et des bourgeons de l'épinette, peuvent ravager des forêts entières. Quant au scolyte, un insecte qui vit sous l'écorce des arbres, il détruit surtout les épinettes et les pins.

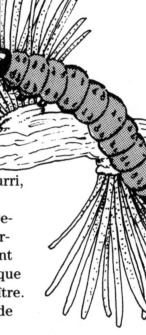

Heureusement que la plupart des insectes sont utiles pour les forêts. Ils fabriquent de l'humus, la fine couche supérieure de la terre qui donne la vie à la forêt. Des milliards d'insectes vivant dans le sol accélèrent la décomposition des feuilles mortes, du bois pourri, des débris de plantes et des excréments d'animaux en les remuant et en les réduisant en miettes. Grâce à leurs mouvements incessants, ils retournent sans arrêt la terre et lui permettent ainsi d'être toujours spongieuse. Les racines peuvent alors s'étaler pour absorber les substances nutritives telles que l'azote et le potassium dont les plantes ont besoin pour croître. Les insectes volants, eux, fécondent les plantes et servent de nourriture aux oiseaux.

Q : D'où viennent les superarbres dont vous vous servez?
R : De la forêt. Durant l'été, nous marquons les arbres destinés à la pâte à papier, les plus grands, les plus en santé et ceux qui poussent le plus vite. Pendant l'hiver, avec un fusil, nous coupons le bout de leurs branches et nous greffons ces bouts de branches (appelés justement des greffons) sur les plants d'un bon arbre. C'est un peu comme si nous fabriquions des superarbres à partir de petits bouts qui poussent déjà. Il se peut même que, grâce à la manipulation génétique, nous soyons un jour capables de programmer ces superarbres. Nous pourrions, par exemple, reprogrammer des arbres qui ont normalement besoin de beaucoup d'eau pour qu'ils puissent pousser dans des régions plus sèches.

Q : Comment plantez-vous les arbres?
R : Nous procédons comme des agriculteurs. Avant de planter, nous devons préparer le terrain. Nous remuons la couche d'aiguilles de pin, de feuilles et d'autres débris de la nature avec des outils munis de chaînes et de lames dentelées. Nous revigorons ensuite la terre en lui donnant de l'engrais ou des éléments nutritifs. Il arrive même que nous pratiquions le brûlage, c'est-à-dire que nous met-

tons le feu aux rémanents (branches et feuilles restées sur le sol), pour nettoyer le terrain. La plantation elle-même est le travail le plus facile; nous n'avons même pas besoin de nous baisser. Les jeunes plants arrivent dans des petits récipients de polystyrène. Nous faisons un trou dans la terre à l'aide d'un outil appelé un plantoir, et nous déposons le plant dans le trou.

Q : Combien en plantez-vous?

R : 1200 plants à l'hectare; cela peut paraître beaucoup, mais un grand nombre d'entre eux peuvent ne pas pousser. Certains sont plantés incorrectement, d'autres mangés par les cerfs, endommagés par le gel, brûlés par la sécheresse, étouffés par d'autres arbres ou détruits par les insectes. Il n'y a qu'environ 800 de ces semis qui vont survivre.

Q : Dans combien de temps ces nouveaux arbres seront-ils prêts à être coupés?

R : Suivant l'espèce d'arbre et les conditions de croissance, cela peut prendre de 50 à 120 ans. Nous avons essayé d'accélérer ce processus en éclaircissant la forêt afin que les arbres les plus forts reçoivent un maximum de lumière et d'éléments nutritifs.

Qu'est-ce qui est bon pour la forêt?

Les forêts naturelles sont constituées de nombreuses variétés de plantes et d'arbres. Les arbres produisent de l'oxygène indispensable à l'environnement, ralentissent l'érosion du sol et procurent abris et nourriture aux oiseaux, aux insectes et aux animaux sauvages. En pourrissant, les feuilles mortes et les vieux arbres redonnent des éléments nutritifs à la terre.

Lorsque les forestiers coupent d'immenses étendues de forêts, l'environnement se trouve brusquement modifié. Le soleil assèche le sol, la pluie emporte la terre, des animaux et des insectes risquent de mourir tandis que d'autres se multiplient. Si les forestiers plantent des semis provenant d'une ou de deux espèces à croissance rapide, la variété des arbres composant la forêt s'en trouve diminuée. Des plantes, des insectes et des animaux sauvages différents vont alors s'installer dans la nouvelle forêt.

Il existe également d'autres problèmes.

Les forestiers se servent de pesticides et d'herbicides pour tuer les insectes et détruire la végétation envahissante. Les environnementalistes estiment que ces produits chimiques tuent des insectes et des plantes utiles et polluent l'air et l'eau. Nombreux sont les environnementalistes qui considèrent que l'on ne devrait plus toucher aux forêts. Au lieu de couper des forêts entières et de les remplacer par une ou deux espèces d'arbres, ils encouragent les forestiers à abattre des arbres parvenus à maturité poussant dans plusieurs forêts différentes et à laisser la nature suivre son cours. Et par-dessus tout, ils souhaitent que les gens réduisent leur consommation de produits dérivés du papier afin que l'on ait besoin de couper moins d'arbres. Utiliser une boîte à lunch à la place d'un sac en papier serait déjà un geste fort utile.

Le vrai Smokey

Par une journée sèche d'été, l'allumette d'un campeur ou la foudre peuvent provoquer une catastrophe. Plus de 9000 incendies de forêts se déclarent chaque année au Canada et aux États-Unis. Six feux de forêts sur dix sont provoqués par la nature. . . les autres par l'imprudence des humains.

Smokey the Bear, un personnage d'affiche, a été inventé durant la Seconde Guerre mondiale pour rappeler à la population de prévenir les incendies de forêts. Peu de temps après, cependant, il y eut un vrai Smokey the Bear.

Un pompier trouva un ourson noir, les pattes brûlées accrochées à un arbre calciné. Après lui avoir bandé les pattes, le pompier prit une photo de l'ourson et l'envoya à un journal. Il pensait que cette photo rappellerait aux gens de faire attention aux feux de forêts. La population surnomma l'ourson Smokey et il devint aussitôt une vedette. Une campagne de publicité dont Smokey était le héros et le slogan «Vous seul pouvez prévenir les feux de forêts» eut un tel succès que le nombre de feux de forêts causés par les humains diminua de moitié.

D'autres pays ont eux aussi leur «Smokey» pour prévenir les incendies de forêts. La France a un hérisson, l'Australie un koala, l'Espagne un lapin, la Russie un élan, le Québec un tamia, le Chili un ragondin, et la Turquie un cerf.

Quelques données sur la forêt

- Il faut un feu de forêt ou un soleil brûlant pour que les cônes du pin gris et du pin de Murray s'ouvrent et libèrent leurs graines. Après un incendie, donc, ces deux espèces d'arbres se retrouvent en plus grand nombre que toutes les autres.

- Les pompiers qui se trouvent en première ligne sur les lieux d'un feu de forêt doivent boire sans arrêt et ingurgiter du sel pour compenser les 2 litres d'eau qu'ils perdent à chaque heure rien qu'à transpirer.

- Malgré leur nom, les arbres à feuilles persistantes perdent bel et bien leurs feuilles. Les feuilles, que l'on appelle des aiguilles, tombent à longueur d'année, contrairement aux arbres à feuilles caduques qui, eux, ne perdent les leurs qu'à l'automne.

- Donner un coup de pouce à la nature en plantant des semis et en cultivant la forêt s'appelle la sylviculture. Le terme vient du mot silva (qui signifie forêt en latin) et est la science et l'art de cultiver les forêts. C'est une science nouvelle et les forestiers commencent à peine à couper les premiers arbres plantés dans un effort massif de reboisement. Les scientifiques estiment que grâce à la sylviculture, les forestiers peuvent réduire de 15 à 20 ans le temps qu'il faut à une forêt pour parvenir à maturité.

- Le plus grand arbre du monde se trouve en Californie. C'est un séquoia qui mesure 112,1 m. On estime qu'il fournirait assez de bois pour construire 50 maisons de six pièces.

Des empreintes de feuilles différentes

En te promenant dans une forêt naturelle, tu remarqueras que de nombreuses espèces d'arbres y cohabitent. Tu peux ramasser des feuilles et faire un collage. Voici une méthode simple pour faire des empreintes permanentes et ne plus te retrouver avec des feuilles toutes sèches et effritées.

Il te faut :
une table
du papier journal
des feuilles (caduques et de conifères)
du papier carbone
un fer à repasser
du papier blanc

1. Recouvre la table de papier journal pour la protéger.
2. Dispose tes feuilles, les nervures du côté de la table, sur un morceau de papier carbone, le carbone dirigé vers le haut.

3. Recouvre les feuilles d'un deuxième morceau de papier journal.
4. Règle le fer à basse température. Repasse délicatement.

5. Soulève le papier journal et retire le papier carbone.
6. Place du papier blanc sous chaque feuille. Recouvre la feuille avec du papier journal et repasse de nouveau.

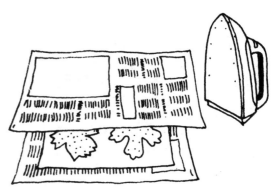

7. Quand tu vas retirer le papier journal et la feuille, tu auras une empreinte de la feuille sur le papier blanc.

Une visite à la papeterie

1. L'ingrédient essentiel
Sans ces arbres, on n'aurait ni journaux, ni manuels scolaires, ni sacs en papier, ni papier hygiénique. Il a fallu 100 ans à ces arbres pour croître et une minute pour les abattre. Ils ont été débités en rondins et sont prêts à être transportés à l'usine.

2. L'écorçage
Les rondins traversent d'énormes anneaux où de puissants jets d'eau arrachent leur écorce.

3. Hachés et mélangés
Les rondins sont hachés en petits morceaux et mélangés à des restes de bois tels que sciure et vieux papier.

4. Transformés en pâte

En trois heures environ, les rondins écorcés sont transformés en pâte soit en les broyant, soit en les faisant cuire dans un bain chimique bouillant, soit des deux manières. On appelle pâte mécanique celle qui est préparée avec du bois broyé, et pâte chimique celle où le bois est cuit. Il est difficile de broyer du bois. En effet, il est constitué de fibres de cellulose plus fines qu'un cheveu et de lignine, une colle naturelle qui retient les fibres soudées ensemble. Dans un journal, c'est la lignine qui jaunit sous l'effet du soleil. En broyant les fibres et la lignine et en y ajoutant un liquide, on obtient de la pâte.

6. Plus blanc, plus éclatant, plus résistant

La pâte d'un brun sale est blanchie sous l'action de la chaleur et du chlore ou de l'oxygène pur. Pour obtenir du papier journal plus résistant, on mélange de la pâte mécanique et de la pâte chimique.

5. Le nettoyage

On retire les noeuds, l'écorce et les fibres non cuites à l'aide de filtres et de jets d'eau. Les produits chimiques restants sont enlevés et réutilisés. On fait égoutter l'eau.

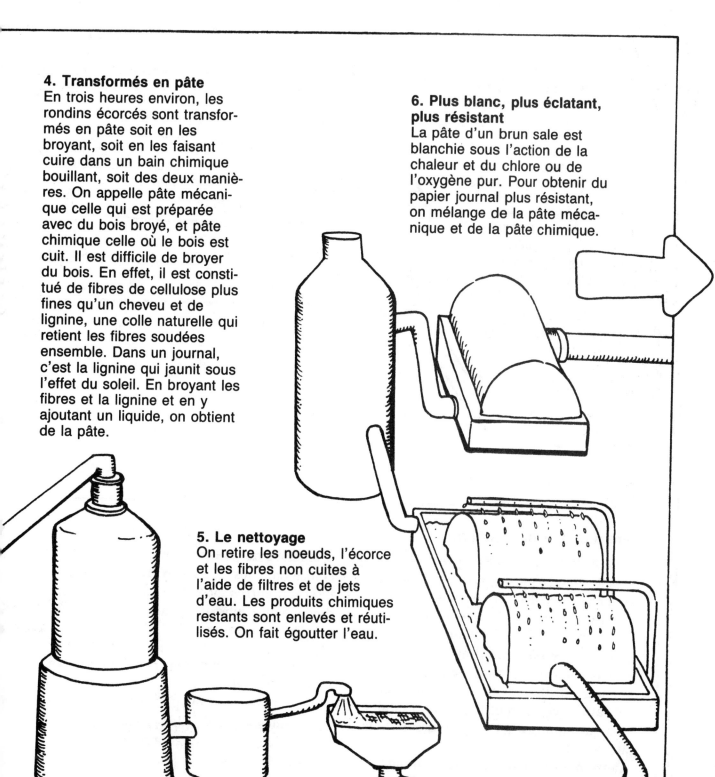

7. Plus lisse

Les fibres de la pâte sont creuses et rigides. Les lames situées dans un raffineur les écrasent afin qu'elles se soudent mieux. De l'argile et d'autres additifs rendent la pâte lisse. La fabrication du papier se fait par ordinateurs : ce sont eux qui déterminent la quantité de produits chimiques et d'additifs qu'il faut pour obtenir le papier désiré, selon qu'il est destiné à faire des sacs ou des cartes d'invitation.

8. À table

La pâte coule sur la machine à papier, un engin aussi long qu'un terrain de football et aussi haut qu'un immeuble de deux étages. La pâte liquide passe sur une table de fabrication. L'eau en est retirée par écoulement et par aspiration.

Pâte à papier et pollution

Pendant longtemps, on a déversé les déchets provenant des usines de pâte à papier dans les lacs et les rivières. Cet effluent supprimait l'oxygène de l'eau et nuisait aux plantes et aux animaux aquatiques. De nos jours, les usines retirent les fines particules d'écorce, de fibre de bois, de chaux et d'autres produits chimiques des eaux usées et réutilisent les produits chimiques qui ont servi à la cuisson de la pâte.

Cette mesure a été très utile. Malgré tout, certaines usines causent encore des problèmes de pollution. Elles déversent du chlore dans les lacs et les rivières. En se liant à d'autres molécules, le chlore devient une substance dangereuse. Si l'on blanchit la pâte avec de l'oxygène à la place du chlore, on élimine ce problème. Certaines usines utilisent des étangs aérés. L'effluent se déverse dans un lac artificiel qu'on alimente en oxygène et où les micro-organismes absorbent les produits chimiques nocifs ou les transforment en produits inoffensifs.

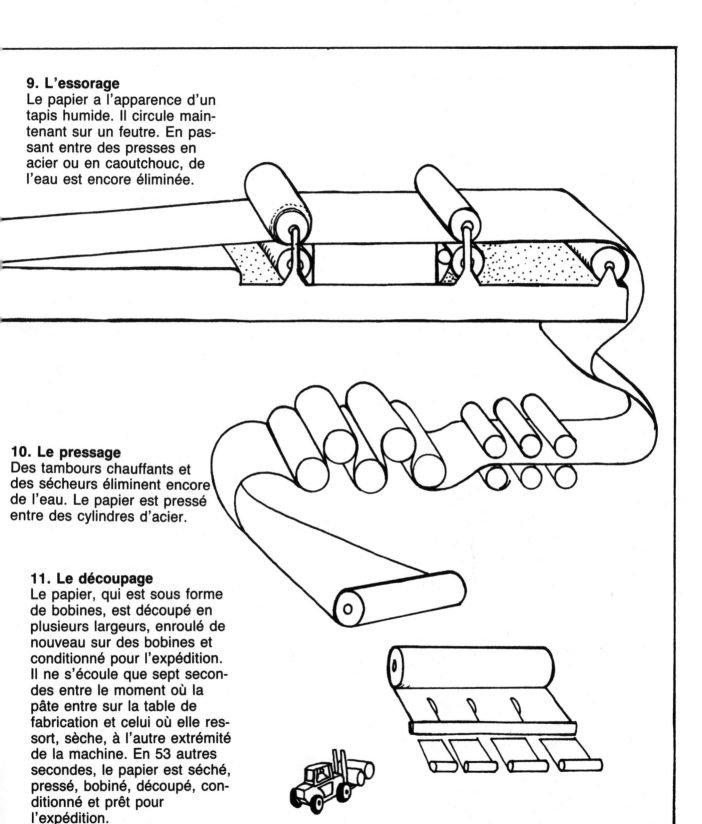

9. L'essorage

Le papier a l'apparence d'un tapis humide. Il circule maintenant sur un feutre. En passant entre des presses en acier ou en caoutchouc, de l'eau est encore éliminée.

10. Le pressage

Des tambours chauffants et des sécheurs éliminent encore de l'eau. Le papier est pressé entre des cylindres d'acier.

11. Le découpage

Le papier, qui est sous forme de bobines, est découpé en plusieurs largeurs, enroulé de nouveau sur des bobines et conditionné pour l'expédition. Il ne s'écoule que sept secondes entre le moment où la pâte entre sur la table de fabrication et celui où elle ressort, sèche, à l'autre extrémité de la machine. En 53 autres secondes, le papier est séché, pressé, bobiné, découpé, conditionné et prêt pour l'expédition.

Avant l'invention du papier cadeau, les gens se servaient de peinture et de tissu pour décorer des contenants. Les anciens Chinois utilisaient même des rubans d'or. Lorsque les Britanniques inventèrent le papier peint au début du seizième siècle, ils inventèrent en même temps, par hasard, le papier cadeau : les gens se servaient de restes de papier peint pour décorer leurs boîtes de cadeaux.

Si les Anglais se servaient de papier peint comme papier cadeau, jusqu'à tout récemment, certains indigènes des mers du Sud utilisaient, eux, du papier cadeau en guise de papier peint! Certaines peuplades indigènes croyaient que les images du père Noël et de ses rennes avaient des pouvoirs surnaturels et pouvaient éloigner les esprits maléfiques. Dans une toute petite île, on a découvert que toutes les huttes étaient décorées de papier d'emballage de Noël.

Voici comment faire du papier cadeau marbré tellement coloré que tu n'auras besoin d'y ajouter ni ruban ni chou.

Il te faut :
3 petits pots avec couvercles
du diluant à peinture ou de la
    térébenthine
2 ou 3 couleurs différentes de peinture à
    l'huile (un reste de peinture à bâtiment
    ou de la peinture pour modèles réduits)
de l'eau
un plat profond que tu pourras jeter
un bâton pour mélanger
des journaux
du papier blanc

1. Dans chacun des petits pots, mélange à quantités égales un peu de térébenthine ou de diluant à peinture et de peinture à l'huile. Mets chaque couleur dans un pot séparé.

2. Verse une hauteur d'environ 7,5 cm d'eau dans le plat.

3. Verse lentement un pot de peinture diluée dans l'eau. Brasse doucement avec un bâton pour faire des volutes.

4. Ajoute le second pot de peinture et brasse très doucement. Ne mélange pas trop les deux couleurs. Il faut qu'elles forment des volutes de chaque couleur bien séparées.

5. Ajoute le troisième pot de peinture et brasse doucement.

7. Dès que toute la feuille est mouillée, retire-la du plat et laisse l'excès de peinture et d'eau s'égoutter dans le plat. NE LAISSE PAS LE PAPIER TREMPER.

6. Fais flotter une feuille de papier à la surface de l'eau. Presque instantanément, la feuille sera recouverte de volutes de peinture.

8. Étale le papier sur des journaux pour le faire sécher.

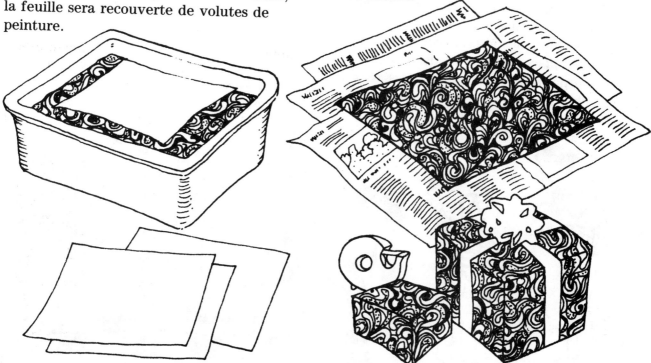

La fabrication d'un journal

Tu as probablement déjà feuilleté ou lu un journal, mais sais-tu beaucoup de choses sur les journaux? Sais-tu, par exemple, qu'un journal comme le *Toronto Star* utilise 140 bobines de papier par jour. Ensemble, ces bobines pèsent aussi lourd que 35 éléphants. Un journal à tirage encore plus fort, le *New York Times*, utilise quatre fois plus de bobines de papier. On comprend alors pourquoi les presses utilisées pour l'impression des journaux sont aussi longues que tout un pâté de maison et aussi hautes qu'un immeuble de deux étages.

Voici comment est fabriqué ton journal tous les jours.

1. Des journalistes rédigent des articles; des photographes prennent des photos. Le rédacteur en chef lit les textes et choisit quelles nouvelles insérer dans le journal et à quelle place. On dessine des publicités. Le journal achète des bandes dessinées et des chroniques à des agences de presse.

2. Les textes sont envoyés par ordinateur à une machine à composer. Une fois composé, le texte sort sur de longues bandes. Les compositeurs collent les publicités et les rubriques quotidiennes sur les maquettes. Les nouvelles composées sont disposées sur les espaces vides.

3. Une caméra prend des clichés des pages terminées et une machine informatique transforme le film en plaques d'impression.

4. Les plaques d'impression sont placées dans la presse à imprimer et enduites d'une fine couche d'encre. Le papier passe entre les plaques et les textes sont imprimés sur les deux faces du papier.

5. Les presses plient et découpent les journaux. Ceux-ci sont empilés, chargés dans des camions et expédiés aux livreurs de journaux, aux magasins et aux distributrices automatiques.

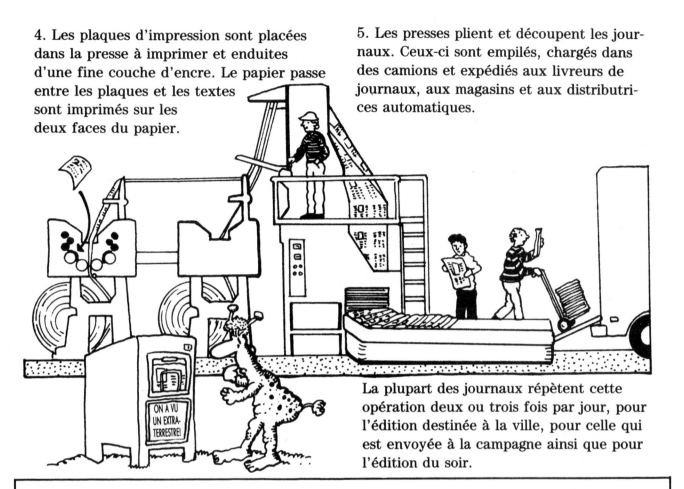

La plupart des journaux répètent cette opération deux ou trois fois par jour, pour l'édition destinée à la ville, pour celle qui est envoyée à la campagne ainsi que pour l'édition du soir.

Le savais-tu?

- Comme son nom l'indique, le papier que l'on utilise pour les journaux s'appelle du papier journal, celui qui sert à faire des boîtes est du carton, et le papier que l'on emploie pour tout le reste est du papier kraft. Le papier journal doit être bon marché car on imprime des millions de journaux tous les jours. Il faut qu'il soit à la fois facile à plier et suffisamment résistant pour passer entre les presses. Le papier kraft est plus coûteux à fabriquer car il doit être plus blanc, plus résistant et plus lisse que le papier journal.
- En un an, la Elk Falls Mill, une papeterie située sur l'Île de Vancouver, emploie suffisamment de copeaux de bois pour remplir trois stades couverts! Si l'on déroulait le papier journal fabriqué en une année par la Elk Falls Mill, on pourrait faire le tour de la Terre.
- La majeure partie du papier journal est faite à partir de sciure, de copeaux de bois et de papier recyclé.
- Le papier renferme 15 pour cent d'eau. Il s'effriterait et se casserait s'il ne contenait pas cette humidité.
- Une fois fabriqué, le papier journal est enroulé sur des bobines géantes qui peuvent recevoir suffisamment de papier pour imprimer 50 000 copies d'un journal.

Du papier de seconde main

Non! Ne jette pas tes boîtes ou tes journaux! Récupère-les. De cette manière, tu pourrais sauver un arbre et éviter à notre Terre de devenir un gigantesque dépotoir.

Quand tu jettes des journaux et du carton aux ordures, celles-ci sont ramassées et transportées dans un site immense où elles sont enfouies. Les gouvernements n'ont plus où enterrer les ordures. Faire brûler les papiers n'est pas une bonne solution car ça pollue l'air.

Si tout le monde réduisait sa consommation de papier (en prenant une boîte à lunch, par exemple, plutôt qu'un sac en papier) et récupérait le papier, la quantité de déchets enfouis dans la terre diminuerait de moitié.

Heureusement que de plus en plus de citoyens s'intéressent au recyclage. De nombreuses municipalités ramassent les vieux journaux et les

boîtes en carton ondulé pour les recycler en papier journal ou en carton. La plupart des compagnies déchiquettent leurs vieux papiers pour les recycler. Les résultats sont concluants : cinq pour cent du papier journal est fabriqué avec des vieux papiers.

Le recyclage n'est pas une idée nouvelle. Les premiers à le pratiquer étaient les anciens Égyptiens qui versaient un liquide sur de vieilles feuilles de papyrus pour en enlever l'encre afin de pouvoir se resservir de ces feuilles. À la fin du dix-septième siècle, les Danois inventèrent un dissolvant capable de désencrer (un produit capable de rompre la liaison existant, par exemple, entre l'encre et le papier). Actuellement, du papier provenant de toutes les sources, que ce soit des cartes informatiques, des emballages de produits alimentaires, des chèques, des enveloppes et du papier à lettres, est désencré et transformé en pâte à papier. Le papier fabriqué avec cette pâte est si proche du papier fabriqué à partir de fibres de bois que seul un expert peut faire la différence.

J'aimerais acheter une carte faite avec du papier recyclé.

Le papier journal ne peut pas être réutilisé pour faire du papier de première qualité. Que deviennent alors les vieux journaux que tu as donnés à recycler? Ils servent à la fabrication de bardeaux, de matériaux pour les toitures ou pour l'isolation.

C'est difficile à croire, mais il arrive qu'il y ait trop de papier recyclé et on doit alors s'en débarrasser. La demande n'est pas assez forte pour les produits faits en papier recyclé. Si tu insistais pour n'acheter que des produits en papier recyclé — et si tes ami(e)s et ta famille faisaient de même — la demande augmenterait.

Ça, c'est du recyclage!

Elis F. Stenman est le champion du recyclage de journaux. Pendant vingt ans, monsieur Stenman a roulé des feuilles de journaux en petits cylindres bien serrés de 1 cm d'épaisseur, dont il a fait des meubles. Il s'est même fabriqué un piano. Quand monsieur Stenman s'est bâti une maison à Rockport, au Massachusetts, il s'est servi de poutres en bois pour la charpente, mais tout le reste de la maison était en papier. Il a construit chaque mur et chaque plafond en superposant et en fixant avec de la colle 215 feuilles de journal.

Désencrage maison

La plupart des gens qui font du recyclage ne veulent dissoudre que l'encre présente sur le papier afin d'obtenir une feuille propre qu'ils vont retransformer en pâte à papier. Il est néanmoins également possible de retirer toute une image grâce à ce dissolvant spécial fait maison.

Il te faut :
125 ml d'eau
30 ml de térébenthine
une goutte de savon liquide
un petit contenant avec un couvercle
un pinceau
une illustration ou une bande dessinée prise
   dans un magazine ou dans un journal
2 feuilles de papier blanc propre
une cuiller.

1. Verse l'eau, la térébenthine et le savon dans le contenant. Ferme bien le couvercle et secoue énergiquement.

2. À l'aide du pinceau, badigeonne l'image avec ce solvant.

3. Place l'image, face en dessous, sur une feuille de papier blanc propre. Pose une autre feuille de papier blanc propre par-dessus, comme un sandwich.

4. Avec le dos de la cuiller, frotte la feuille du dessus. Frotte fort et l'image va se reporter entièrement sur la feuille du dessous.

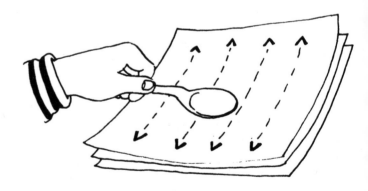

5. Enlève la feuille du dessus et celle du milieu.

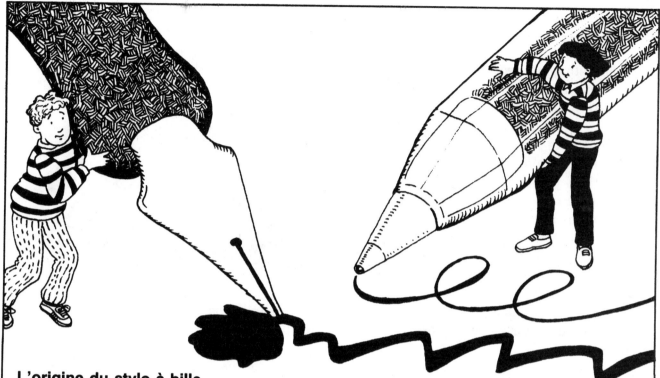

L'origine du stylo à bille

Demande à tes grands-parents comment ils ont appris à écrire. Ils te diront probablement qu'ils devaient plonger leur porte-plume dans l'encrier posé sur leur pupitre. Par la suite, on a inventé les stylos à encre, ou porte-plume à réservoir d'encre. Ils n'étaient pas très pratiques, cependant. Il fallait les remplir souvent et l'encre prenait si longtemps à sécher que l'on faisait souvent des taches. De nos jours, les gens se servent de stylos à bille; ils coûtent moins cher et sont plus faciles à utiliser que les stylos à encre.

Le premier stylo à bille fut un échec. Lazlo Biro et son frère Georg inventèrent un stylo dans lequel la gravité faisait descendre l'encre le long d'un tube et arriver sur une bille de métal. Pour qu'ils écrivent, il fallait tenir ces stylos droit et l'écoulement de l'encre était totalement imprévisible : elle coulait parfois trop lentement, ou au contraire trop vite. Biro conçut ensuite un stylo basé sur la capillarité, c'est-à-dire qu'un liquide s'écoule dans des tubes minuscules. L'invention de Biro consistait en un tube d'encre qui alimentait un tube plus petit et se terminait par une bille. Que l'on tienne le stylo droit ou penché, ou même à l'envers, la bille était toujours encrée grâce à la capillarité.

Malheureusement, les stylos de Biro fuyaient et l'encre coulait partout. En 1949, un Américain, Patrick Frawley, inventa un stylo rétractable qui ne fuyait pas. Ce fut un grand succès. Enfin, en 1952, Marcel Bich, en France, conçut des stylos bon marché en plastique transparent. Eh oui, le «bic» était né. Les Anglais n'ont cependant pas oublié les origines du stylo à bille puisqu'ils l'appellent un «biro».

Tu peux toujours recycler des vieux journaux en en faisant des bricolages. Que dirais-tu d'une piñata, par exemple? Dans les pays latins, à l'occasion des anniversaires, on bande les yeux des enfants et, à l'aide d'un bâton, ils doivent frapper et crever une piñata en papier mâché suspendue au plafond ou à une branche d'arbre. Il en tombe toutes sortes de surprises. En usant d'un peu d'imagination, tu peux faire une extra-terrestre de ta piñata, par exemple, ou la rendre préhistorique. Avec du papier mâché, tu peux également te faire de superbes masques pour décorer ta chambre ou porter à des soirées costumées.

Il te faut :
des journaux
des ciseaux
un ballon gonflable
de la ficelle
un bol profond
de la farine et de l'eau mélangées pour faire de la colle
de la gouache et des accessoires de décoration (laine, boutons, papiers, etc.)
un couteau bien aiguisé ou un X-acto

1. Découpe les feuilles de journal en bandes de 5 cm de largeur.

2. Gonfle le ballon. Ferme-le avec un double noeud.

3. Plonge les bandes de journal, une à la fois, dans la colle.
4. Recouvre le ballon de bandes de journal. Colle une seconde couche de bandes par-dessus la première. Fais quatre couches en tout.

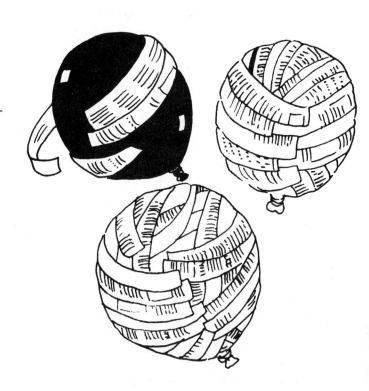

5. Laisse sécher pendant environ une semaine ou jusqu'à ce que le papier mâché ait durci.

6. Décore la piñata à ta guise avec de la gouache, des plumes ou n'importe quoi d'autre.

8. Suspends la piñata par une ficelle que tu auras collée ou fixée avec du ruban adhésif. Bande les yeux de tes invités, donne-leur un bâton à chacun, regarde-les s'acharner et. . . prends garde à ce qui va te tomber sur la tête!

7. Fais un trou dans le haut de la piñata. Crève le ballon et retire-le. Par l'ouverture, remplis la piñata de surprises (des petits jouets ou des bonbons enveloppés, par exemple).

Comment le bois est-il fabriqué?

Juste sous l'écorce d'un arbre, se trouve une couche de cellules appelée le cambium. Bien qu'elle ne consiste qu'en une seule couche, sans elle, il n'y aurait pas d'arbre car c'est le cambium qui produit le bois et l'écorce.

Les cellules de cambium fabriquent le liber ou phloème. Ce sont des cellules creuses toutes reliées entre elles depuis l'extrémité des racines jusqu'à l'extrémité des branches. La nourriture et l'oxygène fabriqués par les feuilles sont véhiculés par le liber jusqu'aux racines. En durcissant, les vieilles cellules de liber situées vers l'extérieur donnent naissance à l'écorce.

Les cellules de cambium situées vers l'intérieur deviennent l'aubier. L'aubier transporte la sève (de l'eau riche en minéraux) depuis les racines jusqu'aux feuilles. (Du sirop d'érable, c'est justement de la sève d'érable que l'on a fait bouillir jusqu'à ce qu'elle épaississe.) Au fur et à mesure que de nouvelles cellules sont fabriquées, le vieil aubier s'engorge de minéraux, durcit et se transforme en bois de coeur.

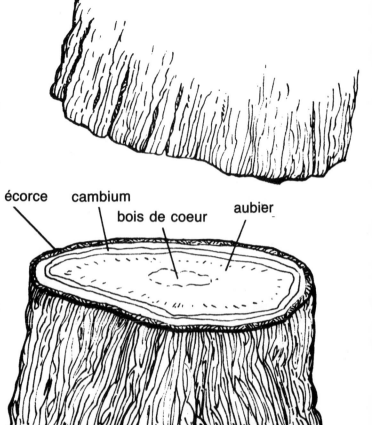

écorce   cambium   aubier

bois de coeur

Lire entre les cernes

Au printemps, en pleine période de croissance, les arbres fabriquent du bois clair. En été, quand l'arbre croît moins rapidement, il fabrique du bois foncé. Lorsqu'on coupe un arbre, le bois foncé apparaît sous forme d'un cercle qu'on appelle un cerne. En comptant les cernes, on peut connaître l'âge de l'arbre. Un noeud se forme dans le bois lorsqu'un bourgeon situé sur le tronc de l'arbre donne naissance à une branche.

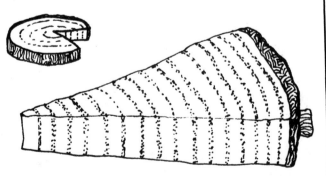

Activité avec du papier n° 7 : Le test de l'essuie-tout

Tu as sans doute déjà vu des messages publicitaires pour du papier essuie-tout. Chaque fabricant prétend que son essuie-tout est le plus absorbant. Tu peux juger par toi-même en faisant le test suivant.

Il te faut :
5 feuilles d'essuie-tout, tous de marques
  différentes
de l'eau
un petit bol
du colorant alimentaire
un compte-gouttes
une règle

1. Dispose les papiers essuie-tout en ligne.
2. Mets de l'eau dans le bol et ajoutes-y quelques gouttes de colorant alimentaire.

3. À l'aide du compte-gouttes, fais tomber une goutte d'eau colorée sur chaque morceau de papier.

4. Mesure le diamètre de chaque tache d'eau. L'essuie-tout qui a la tache d'eau la plus large et la plus plate est le plus absorbant des cinq.

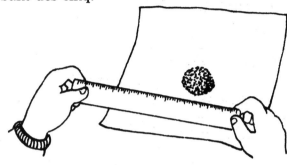

5. Recommence l'expérience avec plusieurs sortes de papier : des mouchoirs de papier, du papier buvard, du papier journal et des couches de bébé.
6. Regarde les formes prises par les gouttes d'eau sur les différents papiers.

Explication
Les molécules d'eau restent habituellement soudées entre elles. Mais l'eau adore les surfaces, surtout celles qui ont de nombreux trous. Or, du papier absorbant est très poreux (c'est-à-dire qu'il est plein de trous). Quand de l'eau touche une surface absorbante telle que du papier essuie-tout, elle s'étale à la recherche d'un maximum de surface. En revanche, lorsque l'eau tombe sur du papier dont les fibres sont plus resserrées, elle ne s'étale pas et forme simplement une goutte.

Activité avec du papier n° 8 : **Un casse-tête personnel**

Tu peux surprendre tes ami(e)s et ta famille en leur fabriquant un casse-tête qu'ils ne pourraient jamais acheter dans un magasin.

Il te faut :

une photographie (essaie d'avoir un agrandissement d'une de tes photos préférées — une photo de famille ou une de ton animal familier, c'est chouette!)

un morceau de carton de la même grandeur que la photo

de la colle

des ciseaux

1. Colle la photo sur le carton.

2. Dessine deux lignes sinueuses parallèles à l'endos du carton, dans le sens de la largeur.

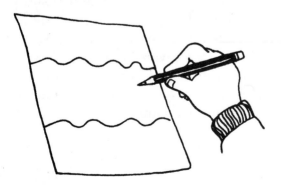

3. Trace des lignes qui coupent les premières. Plus tu dessines de lignes, plus le casse-tête sera compliqué.

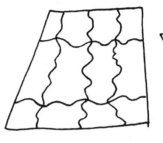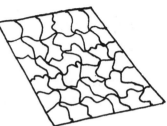

4. Découpe le carton suivant les lignes.

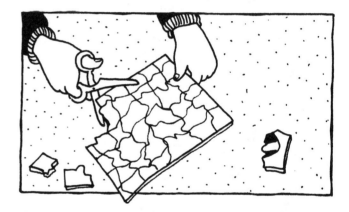

Tu peux mélanger les morceaux de ton casse-tête et les mettre dans une boîte que tu emballeras joliment avant de l'offrir.

Activité avec du papier n° 9 : **Message secret**

L'encre invisible la plus ordinaire, c'est du jus de citron. Trempe un cure-dent ou un coton-tige dans du jus de citron et écris ton message sur une feuille de papier. Une fois sec, il sera invisible. Tiens la feuille près d'une ampoule (pas trop près au risque de brûler le papier). Petit à petit, les lettres vont réapparaître.

Comment expliquer ce phénomène? La portion du papier où tu as écrit avec du jus de citron brûle plus rapidement que le reste de la feuille. Quand tu approches le papier d'une source de chaleur, le jus de citron brûle et devient visible. Voici une autre recette d'encre invisible.

Il te faut :
une bouilloire
125 ml d'eau bouillante
3 bols
1/2 c. à thé de fécule de maïs
du papier-filtre
un coton-tige
du papier
50 ml de teinture d'iode (tu peux l'acheter à la pharmacie)
100 ml d'eau froide

1. Verse l'eau bouillante dans un bol, ajoute la fécule de maïs, remue et laisse refroidir.
2. Tiens le papier-filtre au-dessus d'un bol propre. Verse le mélange eau-fécule de maïs sur le papier-filtre. Jette celui-ci.

3. Plonge le coton-tige dans ton encre à la fécule de maïs et écris un message sur du papier. Quand l'encre va sécher, le message va disparaître.

4. Mélange l'iode et l'eau froide dans un bol.
5. Pour faire réapparaître ton message, trempe un coton-tige dans le mélange d'iode et badigeonnes-en le papier.

Que se passe-t-il? En réagissant avec la fécule, l'iode prend une couleur violette.

Réponses

Messages secrets chinois, p. 29
montagne + eau = paysage
feu + montagne = volcan

Un jour deux personnes descendent de la montagne.

Des carrés et des cubes, p. 37
Il existe 11 manières de disposer les carrés de sorte à former un cube.

Sur le pont. . ., p. 39
Ces trois ponts sont les plus solides et supporteront le plus de sous.

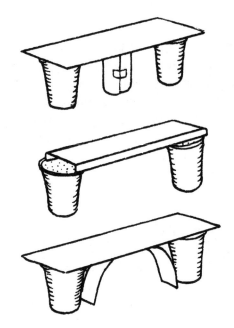

Glossaire

Bactérie (fém.) : micro-organisme unicellulaire qui peut causer la maladie ou la pourriture, ou même transformer une substance chimique en une autre.

Caduques (adj.) : destinées à se détacher de la plante, à tomber. (Exemple : arbre à feuilles caduques, opposé à arbre à feuilles persistantes, qui ne tombent pas.)

Cambium (masc.) : couche de cellules situées entre l'écorce et le bois d'un arbre qui se divisent pour donner naissance aux cellules de bois à l'intérieur et aux cellules d'écorce à l'extérieur.

Cellulose (fém.) : fibre composée de glucose (substance sucrée élaborée par les feuilles) présente dans toutes les plantes.

Conifère (masc.) : arbre portant des cônes, enveloppes protectrices dures qui contiennent les cellules reproductrices femelles. (On dit aussi un **résineux**.)

Coupe à blanc : technique de coupe qui consiste à abattre tous les arbres d'une forêt, excepté les jeunes arbres, en une seule fois. (On dit aussi un **blanc-étoc**.)

Débarder : transporter du bois hors de la coupe. (Donne **débardage** et **débardeur**.)

Effluent (masc.) : ensemble des eaux usées.

Environnementalistes : personnes qui s'intéressent à la protection de l'environnement.

Espèce (fém.) : groupe d'animaux ou de plantes semblables capables de se reproduire entre eux. (Pour les arbres, on parle d'une **essence**.)

Fécondation (fém.) : union de cellules mâles et de cellules femelles en vue de la reproduction. Chez les plantes, le terme reproduction signifie produire des graines; chez les animaux et les humains, la reproduction signifie faire des bébés.

Fibres (fém.) : chez les plantes, morceaux de cellulose filamenteux.

Grume (fém.) : tronc d'arbre abattu et ébranché; pièce de bois non encore équarrie.

Humus (masc.) : fine couche de terre à la surface du sol, riche en éléments nutritifs.

Liber (masc.) : cellules creuses reliées entre elles depuis les extrémités des feuilles jusqu'aux racines d'un arbre. Elles véhiculent jusqu'aux racines la nourriture et l'oxygène fabriqués par les feuilles. (On dit aussi le **phloème**.)

Lignine (fém.) : colle naturelle contenue dans le bois, qui retient les fibres soudées ensemble.

Moule (masc.) : dans la fabrication du papier à la main, instrument qui sert à faire les feuilles de papier. Il est composé de deux parties : le tamis (ou forme) et la couverte (ou cadre).

Papyrus (masc.) : genre de roseau avec lequel les anciens Égyptiens fabriquaient des feuilles pour écrire.

Parchemin (masc.) : support d'écriture fait de peaux d'animaux qui ont été nettoyées, séchées et polies avec une pierre.

Reboisement (masc.) : plantation de nouveaux arbres après qu'une forêt a été détruite par le feu, par les insectes ou par l'abattage.

Recycler : se resservir d'un produit ou d'un contenant au même usage ou à un usage différent.

Régénérer : redonner vie à quelque chose; encourager la reproduction. (La régénération des forêts peut être naturelle ou artificielle.)

Rémanents (masc. pl.) : branches, brindilles qui restent sur le parterre de la forêt après l'abattage. (On dit aussi **débris de coupe**.)

Renouvelable : se dit de quelque chose qui peut se remplacer et redevenir comme neuf. La forêt est une ressource naturelle renouvelable.

Toxique : qui agit comme un poison.

Vélin (masc.) : support d'écriture très fin fait de peau de veau.

Index